# LES PATRIARCHES

ANNE BEREST

# LES PATRIARCHES

*roman*

BERNARD GRASSET
PARIS

Photo bande : © J. Bonnet

ISBN : 978-2-246-80084-2

*à Gérard Rambert, le père de ce livre*
*à Stéphane Manel, le père de Tessa*
*&*
*à mon grand-père, Vincente Picabia,*
*mort d'overdose le 14 décembre 1947.*

*Patrice Maisse*

« C'est marrant ce que tu me poses comme question. Parce qu'il y a quelques jours je me suis demandé : *"Mais comment j'en suis arrivé là, à 57 ans ?"* Et la première chose à laquelle j'ai pensé c'est ça : je me suis souvenu du cousin de mes parents qui m'emmenait à Deauville. Il avait l'habitude de descendre à l'hôtel *Les Mouettes,* rue Olliffe. Je ne pouvais pas dormir tant que je ne l'avais pas vu garer sa voiture en bas de l'hôtel. Même tard dans la nuit. Je me suis souvenu de cette attente-là. La voiture, c'était une Type E. La première série sortie en 1962. Je sais pas si tu te rappelles à quoi cela ressemble la Jaguar Type E ? Tu veux en voir une ? La Jaguar Type E c'est un sexe en érection. »

Gérard Rambert se lève de la banquette inconfortable où il est assis, face à la jeune fille, qui ne sait pas quoi faire. Elle le suit du regard, tête tendue, souriante, comme si elle n'était pas embarrassée du mot érection ni encombrée d'elle-même. Elle veut se montrer polie, discrète et bien élevée tandis que Gérard Rambert se penche devant son ordinateur. Un accord en *do* majeur avec stéréo et réverbération annonce l'ouverture du Mac, la lumière bleue colore sa peau lisse, épaisse, sans une seule ride, illumine la plastique de son visage d'homme. Le reflet de l'écran d'ordinateur dans ses lunettes. Il fait si sombre dans le bureau, quelqu'un avant, une femme de ménage peut-être, a pris soin de fermer les volets pour que leurs corps ne souffrent pas trop de la chaleur. C'est comme à l'hôtel luxueux dans lequel Denise est descendue, bien trop cher pour elle, et dont elle réglera la note avec un argent qui ne lui appartient pas encore.

« Là il n'y a pas le modèle, attends, je vais te montrer. Voilà, non ça c'est une Ford 90. Alors attends, on va reprendre. Comment fait-on ? »

Denise ose se lever du canapé trop bas. Ses gestes sont maladroits pour se mettre debout, elle rejoint Gérard derrière le bureau, murmure quelque chose si faiblement que personne ne l'entend. Toujours souriante, elle glisse vers elle le clavier de l'ordinateur, essayant de ne pas faire preuve d'autorité par ce geste, simplement prouver sa diligence technique. Ne pas montrer que le mot érection résonne

12

dans sa tête. Denise clique sur « Google images » et des dizaines de carrés, des photographies de voitures, apparaissent à l'écran. Gérard ouvre un nouveau paquet de Rothmans rouges, bien qu'un autre paquet à peine entamé soit resté à côté du cendrier. Il s'allume une cigarette, crissement du tabac lorsqu'il tire sur la première bouffée, un incendie miniature dans la touffeur orageuse du bureau.

« Ah voilà ! C'est ça les modèles ! Une Type E c'est ça. Douze ans plus tard, en 1974, je m'en suis acheté une. Eh bien je vais te dire, ce cousin de mes parents, Michel Litzenberg – ses parents étaient morts tous les deux en camp de concentration. Un beau mec. Un type qui, en 1960, portait des jeans, des T-shirts en coton blanc, des Ray-Ban. Et le type était À L'AISE. Il s'est marié avec la fille – peut-être ça te dit quelque chose parce que tu es dans le cinéma – d'un propriétaire de salles qui s'appelait Homer Zartouski. Cette fille donc, avait très peur de l'orage. Avec son mari ils louaient à Deauville une maison voisine de la nôtre. Et un soir, elle a demandé à mes parents si *"Gérard pouvait venir dormir chez elle, parce que Michel n'était pas là et qu'elle avait peur de l'orage"*.

Ce soir-là dans sa salle de bain, j'ai volé des cheveux sur sa brosse. J'étais un garçon de sept ou huit ans, tu imagines ? J'ai retrouvé les cheveux il y a deux ans, dans un étui à cigarettes en crocodile. L'étui à cigarettes, si tu me demandes comment je me l'étais procuré, et bien je crois que je l'avais piqué à ma mère quand elle avait décidé d'arrêter de fumer. Je me lave les mains je reviens tout de suite. »

Denise imagine les éclairs à travers les fenêtres aux verres dépolis de la salle de bain, comme chez sa mère, à Périgueux. Elle ne veut plus y habiter, elle se dit que Paris, c'est bien. Elle pourrait essayer de s'y installer, après l'été. Trouver un métier, ne pas faire l'école d'infirmière. Mais soudain, Denise a la sensation que les objets vibrent autour d'elle, les tableaux, les lampes, les cendriers se détachent des murs en tissus. Elle a des mouches devant les yeux et le sang qui remonte d'un seul coup au cerveau. Denise se demande où Gérard Rambert est allé, elle ne comprend pas ce qu'il fait. Gérard non plus ne comprend pas ce qu'il fait, avec cette gamine trop longue et trop maigre dans son bureau, cette frange affreuse qui efface le front et ce tatouage de vierge marie gothique sur le bras sec comme un bâton. Il ne sait pas comment se débarrasser d'elle alors il la noie dans un flot de paroles, pour l'empêcher de poser des questions. Et la sueur goutte sur son visage. Denise n'ose plus bouger, à peine respirer. Elle n'entend ni l'écoulement de l'eau dans le conduit du lavabo ni la fontaine d'une chasse d'eau, seulement le silence suspendu de la voix de Gérard, qui revient reprenant le souffle exact de la phrase qui était restée nébuleuse autour de la tête de la jeune fille.

« A l'époque j'avais fait un nœud avec ses cheveux. Et en les retrouvant, je me suis rappelé de cette nuit-là et de sa salle de bain, où il y avait des éclairs. Ce qu'il faut comprendre, c'est que, quarante-cinq ans plus tard, quand je suis retombé sur cet étui, je savais exactement ce qu'il y avait dedans. J'étais pas surpris de les trouver. Et à la question : *"Est-ce que tu les as gardés Gérard, depuis ?"* Je te répondrai non, je ne les ai pas gardés, ni les cheveux, ni l'étui.

Cela ne te dérange pas si on se retrouve demain parce que j'ai une affaire à régler ? Même heure. Ou si tu veux on peut déjeuner ensemble, j'aurai plus de temps pour te parler. »

Bien sûr, Denise prend ses affaires, toujours souriante, discrète et polie. Faire le moins de bruit possible ; ils descendent les escaliers, faire attention aux marches qui glissent. Gérard tient la porte d'entrée dans ses mains, appuie sa paume dans l'embrasure et parle de près à la jeune fille en se balançant de droite à gauche. Un téléphone sonne quelque part derrière eux, Denise se crispe, voudrait prendre le combiné pour décrocher et dire : « *Allo ?* » Sa propre voix répondrait : « *Oui, bonjou*r » parce qu'en général c'est elle, la fille au bout du fil à qui personne ne répond.

« Tu sais, j'ai découvert la réalité de ce qui s'était passé pendant la guerre parce que j'étais un enfant très FOUILLEUR. En 1960, j'ai fouillé dans le

15

cache-radiateur de la chambre de mes parents. Et je suis tombé sur deux petits albums de photos bordeaux. Je les ai feuilletés mais je ne comprenais pas. Comme ça. Ce que je voyais. Alors je les ai remis en place. Le lendemain j'y suis retourné. Et le lendemain encore, cela a duré quelques jours. »

Derrière eux, le téléphone continuait à sonner.

Gérard dit brusquement au revoir à la jeune fille, avant de refermer la porte, sans montrer son soulagement.

La fiche Wikipédia du père de Denise mentionne : Patrice Maisse, acteur français né le 2 août 1963 à Amiens. Mort d'overdose le 14 décembre 1999 à Paris.

Mais c'est faux, son père est né en 1960. Un 2 août, en plein milieu de l'été, raison pour laquelle il était, selon lui, un « être solaire ».

Il y a trois choses que Denise possède, non pas de son père – car Patrice ne possédait rien lui-même – mais le concernant : une couverture de magazine, un polaroid et un article de journal.

Quelques mois avant de mourir, son père lui avait donné rendez-vous, ressentant le besoin de regarder ces trois documents, témoins de sa gloire passée, comme pris du doute que tout cela avait bel et bien existé.

C'était sa période « Monsieur Dame » : Patrice Maisse avait écrit un monologue inspiré de la vie d'Anton Prinner, qu'il avait côtoyé à Paris à la fin des années soixante-dix. Faute de jouer son texte sur une scène de théâtre – mais avait-il seulement tenté de rendre possible, réelle, cette entreprise ? – il l'incarnait au quotidien, souvent quand il sortait faire des courses. Ou l'après-midi, en promenade. Il racontait, à qui avait l'oisiveté, ou simplement traînait une solitude égale à la sienne, la vie de cette Hongroise – dont la mère fut une élève de Franz Liszt. Une jeune fille sortie des Beaux-Arts de Budapest, débarquant à Paris pour devenir peintre et amie de Picasso, Artaud, Breton. Et devenir un homme.

Pour faire revivre « Monsieur Dame » Patrice Maisse se fabriquait une coiffure garçonne Années folles qu'il plaquait consciencieusement au Pento, appliquant avec difficulté un accroche-cœur rebelle au milieu du front. Maquillé, il portait une chemise blanche pas tout à fait impeccable, une cravate noire, un pantalon en velours usé aux genoux, des talons hauts trop étroits et fumait la pipe. Ou plutôt, faisait semblant de fumer la pipe, puisque avec les années, l'odeur du tabac lui était devenue incommode.

Patrice Maisse avait donné rendez-vous à sa fille devant la serre tropicale du Jardin des Plantes. Il aimait y passer du temps, l'humidité, disait-il, l'aidait à mieux respirer. Ils s'étaient assis sur un banc en pierre, en face du bassin où des tortues s'enculaient. Patrice lui avait demandé « *Est-ce que ça te gêne, que je m'habille en femme ?* » parce qu'il avait observé que la nouvelle génération était bien plus conservatrice que la sienne, mais Denise lui avait répondu « *Non, pas trop* » et c'était l'exacte vérité.

Puis il lui avait demandé si elle n'avait pas oublié les documents, qu'elle sortit d'un vieux sac emprunté à sa mère, qui sentait l'odeur du cuir de l'artisanat marocain. Patrice avait regardé furtivement les papiers, gêné peut-être que Denise le voie faire, puis il les avait rendus difficilement, regrettant de les lui avoir donnés et de ne plus pouvoir en disposer quand bon lui semblait.

Ils étaient là, deux adolescents malingres, elle, tendant son cœur comme des bras, et lui, peau de vieillard malgré ses quarante ans, dans son costume de femme, le souffle douloureux, sachant que la mort arrive et que tous les êtres présents dans cette serre, les oiseaux, les insectes, les lianes, les bambous, les poissons et les tortues sodomites, lui survivraient.

Denise connaissait tout de la vie de son père. Aujourd'hui, elle pourrait presque affirmer qu'elle la connaissait heure par heure. Il la lui avait racontée. Sa mère la lui avait racontée. D'obscurs fans aussi. Et eux tous la lui racontaient encore aujourd'hui, au cas où Denise avait pu l'avoir oubliée, au profit de ses propres souvenirs, de sa vie sans intérêt par rapport à la leur, à celle si aventureuse de ses parents. Comme s'ils avaient tout pris des attributs de la jeunesse, et qu'elle arrivait trop tard, après la razzia.

Denise connaissait donc toute la vie de son père,

à l'exception de quelques mois, entre mars et le jour de Noël de l'année 1985.

Tout le monde évitait de parler de cette période. Avec les années, cet évitement avait fini par intriguer Denise. Elle avait reconnu les contours d'un secret se dessiner, comme ces jeux anciens où il faut relier par un trait de crayon une suite de numéros, pour soudain voir apparaître un loup, ou une sorcière sur son balai.

C'était pour faire apparaître le dessin du lieu où son père était reclus ces quelques mois de 1985 que Denise avait fait la connaissance de Gérard Rambert. Elle voulait qu'il lui parle de cette année vide.

Mais après leur première rencontre, Denise eut la certitude que Gérard Rambert ne lui parlerait pas facilement de cette année 1985, en particulier à cause des mots qu'il avait prononcés à la fin, cette histoire d'enfant fouilleur. Il avait presque crié en prononçant le mot. Il n'y avait pas de point dans les phrases de Gérard Rambert, c'est-à-dire que sa voix, qui semblait parfois se déchirer superficiellement, ne retombait jamais. Il parlait avec un débit aussi précis qu'inattendu, une prosodie qui n'appartenait qu'à lui, une intonation étrange, faisant s'effrayer les voyelles, exagérant à l'excès certains mots. Un accent tonique surprenant, qui n'était la particularité ni d'une classe sociale, ni d'une région géographique, mais le signe stupéfiant d'une pensée mouvementée.

La nuit qui suivit son premier entretien avec Gérard Rambert, Denise eut beaucoup de mal à s'endormir. Denise avait horreur des grands lits. Elle s'y perdait et y souffrait de la chaleur. Depuis sa petite enfance, elle ne pouvait dormir que dans des lits de fortune, au creux d'un canapé, sur un matelas improvisé ou dans un sac à coucher.

Pourtant, l'hôtel luxueux qu'avait choisi Denise en raison de sa proximité avec le bureau de Gérard Rambert (elle avait songé que, pour ce premier rendez-vous avec lui, il serait plus confortable de venir à pied) offrait la climatisation dans chaque chambre et un feutre silencieux propice à un profond sommeil. Un hôtel agréable où tout était pensé aux dimensions du corps, un hôtel où il suffisait d'allonger sa main pour qu'un interrupteur à la mesure exacte du bras éteigne la lumière. Où il suffisait que son pied touche le sol pour qu'un tapis épais la préserve du carrelage frais du couloir, et qu'un sèche-cheveux, à la ventilation ni trop chaude, ni trop froide, surgisse face au miroir de la salle de bain.

Denise avait réservé cet hôtel pour trois nuits au lieu d'une seule, car elle avait eu, dès le début, la prescience qu'il y aurait plusieurs rencontres avec Gérard Rambert, et qu'il faudrait bien des détours pour arriver à l'année 1985. Presque tout l'argent qu'elle gagnerait avec le photographe y était passé ; elle aurait pu vivre les deux mois d'été avec cette somme, mais qu'importe, ce qui se passerait dans quatre jours lui paraissait si loin.

En s'endormant, Denise pensait à la fraîcheur miraculeuse du matin, au milieu de l'été, qui l'avait encouragée et adoucie, comme si quelqu'un, quelque part, la soutenait dans son projet de rencontre avec cet homme. Mais ce sentiment d'enthousiasme fut anéanti par l'allusion à la fouille. Denise imaginait soudain l'enfant cherchant des albums derrière le radiateur de ses parents, et, d'une manière détournée, Gérard lui signifiait qu'elle était cet enfant fouineur.

La joue posée à même le drap, contre des rangées de coussins si hauts qu'elle avait la sensation d'être engloutie, Denise repensa au 24 décembre 1985, le jour où son père, l'acteur mythique Patrice Maisse, était revenu dans sa famille un matin, après plusieurs mois d'absence. Elle se souvenait de sa réapparition dans le salon : il était tout bizarre, des gestes nerveux de maigre. Denise avait cinq ans, son frère Klein six, et Aymeric, le baby-sitter, seize ans à peine. Il était très blond, presque blanc, avec une moustache filandreuse et transparente qui troublait les enfants. Aymeric voulait devenir musicien, il jouait dans un groupe de hard rock le week-end et du hautbois au conservatoire trois fois par semaine. Les mercredis et pendant les vacances scolaires, il gardait les enfants Maisse pour se payer des places de concert et ses T-shirts de Scorpions, AC/DC – et Black Sabbath. Patrice entra dans le salon en silence, les enfants regardaient la série « V » sur Antenne 2 si bien que longtemps, Denise associa l'arrivée des visiteurs venus secrètement pomper l'eau de la terre, avec le retour de son père dans leurs vies. Il était furieux, à cause de la présence du jeune garçon sur le canapé. « *Qu'est-ce que vous foutez là, dégagez immédiatement !* » avait-il hurlé, tout décharné, les yeux rentrés à l'intérieur, comme si on lui avait sucé la chair et que sa peau s'était collée sur ses os. « *Je vais te casser la gueule* » avait-il menacé et l'adolescent prit la fuite.

Le soir, ils en avaient ri avec leur mère, car Patrice s'était imaginé que le lycéen était un nouveau boyfriend, à cause du penchant de Matilda pour les très jeunes hommes. Un jour, en classe de sixième, au cours d'un voyage scolaire aux Eyzies, Denise avait raconté cette anecdote à sa voisine (elle se souvenait de la moquette orange et râpeuse des sièges du car, mais pas du prénom de la petite fille) avant d'ajouter naturellement cette phrase qu'elle entendait souvent dans la bouche de sa mère ou de sa tante Zizi : « *Contrairement à mon père, qui est plutôt vieux messieurs.* »

Une vague de chaleur dans la chambre d'hôtel, et la sensation floue de roulements de tambour. Puis un impact très proche. Denise se souvint d'un rêve d'orages, craquants dans un ciel blanc, suivi d'une accusation de vol. Alors en prenant le petit déjeuner dans son lit, en essayant d'essuyer avec de l'eau la tache de confiture sur les draps blancs, Denise resongea au malaise qu'elle avait ressenti lorsque Gérard avait dit : « *Toi qui es dans le cinéma* ». Denise rougissait en repensant à cet instant, où elle avait souri puis acquiescé. Elle lui avait expliqué au téléphone qu'elle venait à Paris travailler avec un photographe. Cela n'avait rien à voir avec le cinéma, mais Gérard avait dû faire un amalgame. Durant plus d'un mois, elle accompagnait l'artiste sur les routes de « La France des Ronds-Points », dont le catalogue intitulé *Cartographie d'un art français du giratoire* accompagnait l'exposition. La maison d'édition lui avait fait parvenir un petit enregistreur MP3 avec lequel elle enregistrerait les pensées du photographe sur la route. Elle devait se familiariser avec l'engin avant le départ, s'habituer à prendre différents sons et des conversations, apprendre à les transformer en fichiers numériques dans un ordinateur avant de les envoyer par mail.

Munie de cet appareil, Denise se rendit au café des Arts à l'heure dite du déjeuner, mais Gérard n'était pas encore là.

Bizarrement, elle se retrouvait dans la même anxiété que la veille, se demandant quelle silhouette aurait l'homme qu'elle attendait, si elle parviendrait à se faire apprécier et le guider à l'année 1985. L'échec de la conversation d'hier redoublait sa peur de ne pas réussir, lors de ce déjeuner, à évoquer avec Gérard Rambert ces quelques mois mystérieux. En l'attendant, attablée face à la salle du restaurant et empêtrée dans une robe neuve – aux manches

23

longues pour cacher son tatouage, achetée chez Zara avec les frais de la tournée –, elle écoutait, pour ne plus entendre battre son cœur, la conversation de deux femmes assises à la table à côté d'elle. Deux femmes au visage refait, l'une, la plus jeune, habillée de cuir et les cheveux blancs. L'autre, la plus âgée, avec les cheveux teints et coiffés en couronne qu'elle caressait de temps en temps, comme s'il s'agissait d'un animal de compagnie. Denise sortit son appareil enregistreur, elle le posa sur la table, du côté des deux dames et appuya sur « on » pour enregistrer leur conversation.

— Je l'ai vu déguisé en Lana Turner au Palace, il adorait ça, se déguiser. Il est divin ce garçon et quelle culture ! A une époque il voulait adopter le fils handicapé d'une de ses amies, morte d'overdose. Bref, il était là au dîner, avec des gens de cinéma, et puis ce type qui a des restaurants. Ah oui ! Je sais ce que je voulais te dire et qui va te faire rire. Patrizia est venue avec son ami, il est fou des vieux. C'est vraiment un goût qu'il a, un goût que les gens ont ou pas d'ailleurs. Il est là, très présent, s'occupant de chacun… frisant l'employé ! Il me fait penser à Jean-Pascal. Voilà le rapprochement que je fais. C'est un peu la même histoire. Et les filles ! Voir un garçon qui a dix ans de moins que leur mère…
— Je croyais que la mère de Patrizia était morte ?
— Non maman, suis enfin, c'est de Jean-Pascal dont je parle. Elles pensent que Jean-Pascal est

maquereau. Elles ont prononcé le mot ! Il est gentil, c'est un garçon correct – pas si gentil que ça d'ailleurs. Mais correct. Ils sont pas très rigolos je vais te dire ! Leur seul lien c'est les chiens.

— Ils dorment dans le même lit, non ?

— Oui et alors, ils partagent le même lit mais cela n'a rien à voir. Il maigrit beaucoup il veut plus rien avaler.

— Cela finira mal.

— Ça ne finira pas mal, il est jeune, il vient d'avoir soixante ans. Il aime sortir c'est normal. Et d'ailleurs ça lui fait plaisir, à elle, qu'il sorte. Cela ne peut pas finir mal, ça fait vingt-cinq ou trente ans qu'ils sont ensemble. Ça ne peut pas finir mal.

— Son régime, je dis, cela finira mal de ne rien manger.

En écoutant la conversation Denise parvenait à oublier le retard de Gérard Rambert. Au premier rendez-vous avec lui, elle était venue sans rien, innocente aux mains nues. Mais aujourd'hui, elle s'était armée de documents, pour donner à sa requête un caractère sérieux, une façon d'asseoir sa légitimité dans un registre quasi administratif.

Trois morceaux de papier.

Parmi les trois documents qui prouvent le passé glorieux de son père, il y a cette couverture, que Denise a fait plastifier pendant son séjour au Canada pour qu'elle ne s'abîme plus trop, celle du numéro 302 des *Cahiers du Cinéma* – juillet-août 1979. On peut y admirer le torse nu d'un jeune homme à qui l'on donnerait treize comme vingt ans. Beau, mais d'une lumière froide et silencieuse, il surgit d'un buisson, dans sa main droite levée on distingue un animal mort. Un hérisson peut-être. Sur cette image, il ressemble à la Liberté du tableau de Delacroix qui venait d'apparaître sur les billets de cent francs, et c'est pour cette drôle de ressemblance que les *Cahiers* avaient choisi cette couverture. Les *Cahiers* – lorsque ses parents en parlaient, enfant, Denise entendait « lait caillé » – avaient titré *Naissance d'une mythologie*. Le photogramme était tiré d'un film intitulé *Portrait crashé* dans lequel son père tenait le rôle principal.

Le film aurait pu passer inaperçu, mais c'était sans compter la mort opportune de la réalisatrice, Denise Molle, le dernier jour du tournage. Laissant derrière elle une œuvre indéfinissable et inachevée, gageure d'interprétation pour les yeux myopes de la jeune garde cinéphilique, désireuse d'en découdre avec les anciens de la Nouvelle Vague. Dans l'article consacré au film, Patrice Maisse, érigé au rang d'icône transgenre, était déclaré capable de balayer, par sa mutique fantaisie, toutes les idoles caricaturales d'une jeunesse lénifiée par le changement de décennie. L'article faisait longuement référence à Félix Guattari, à qui le film était dédié, ainsi qu'au travail de Deleuze, de même qu'à une « déstructuralisation du schéma actanciel de la narration ». Seul Serge Daney émettait quelques réserves.

C'est au début de l'année 1977 que Patrice avait fait la connaissance de Denise Molle, alors âgée de vingt-deux ans. Ils s'étaient rencontrés dans un train de nuit, Rome-Paris, elle venait de passer quelques semaines à la villa Médicis, où elle avait croisé « des gens », dont Bernard Dubois, qui avait réalisé *Les Lolos de Lola* avec Jean-Pierre Léaud, Zouzou, la participation de Bernard Menez et celle de Maurice Pialat dans le rôle du vendeur d'outils. Patrice, lui, avait passé un week-end avec son professeur de français, un latiniste ambigu qui avait emmené trois de ses élèves voir les tableaux du Caravage dans la capitale italienne, avec la bénédiction de leurs parents. Dans le train du retour, fumant des cigarettes russes à bout doré en papier rose dans le couloir, la réalisatrice Denise Molle avait émerveillé les trois jeunes garçons et leur professeur en exposant sa vision du cinéma. Sur le quai de la gare de Lyon, au petit matin, au moment de se séparer, avant que les garçons ne prennent leur correspondance pour Amiens, Denise proposa à Patrice le rôle d'Achille, jeune muet hermaphrodite héros de *Portrait crashé*. Le film se ferait sans acteur professionnel, une seule prise par scène, tourné dans l'ordre chronologique et pas de scénario écrit à l'avance. Patrice avait accepté, malgré les réticences de son professeur de français.

Après la mort de Denise Molle, et grâce au succès critique du film (ou faudrait-il dire l'inverse), Patrice décida de rester à Paris pour devenir acteur. L'ayant croisé un soir dans un café de la rue des Saints-Pères,

Aragon lui prédit, le lendemain même de la sortie du film, « *un destin à la hauteur de sa beauté* » et Patrice aimait cette nouvelle vie, aimable avec ceux qui l'aimaient, trouvant quelques bras où terminer la nuit et quelques substances capables de vous faire oublier que le destin est un tyran capricieux qui tient rarement ses promesses. En attendant un nouveau rôle à sa mesure, Patrice trompait le temps et ses amants. Il fit l'amour avec une femme, Matilda, uniquement pour rendre jaloux un type qui l'entretenait – un mélomane rentier qui habitait avenue Foch. Matilda avait alors vingt ans et l'accent espagnol, c'était une force de la nature, un corps rectangulaire, les cheveux drus, elle tomba enceinte ce premier jour, qui était aussi sa première fois, ils eurent Klein, qu'ils prénommèrent ainsi en hommage au peintre. Puis une petite fille, treize mois plus tard, qu'ils appelèrent Denise, en hommage à Denise Molle. Patrice Maisse disait souvent que : « *Les femmes et les enfants sont de drôles d'animaux.* »

Quand Denise rentra au CP, Patrice lui fit apprendre par cœur la fable du héron, si dédaigneux de tous les poissons, qu'à la fin il se trouve tout aise et tout heureux de manger un limaçon. Enseigner La Fontaine à ses enfants, c'était sa ligne de conduite, une sorte de morale, bien plus claire que les règles d'heures de coucher ou d'ingestion d'aliments. Klein et Denise se levaient à l'heure qu'ils voulaient, ne mangeaient pas de légumes verts, mais ils savaient que les jugements de cour vous rendront blanc ou noir selon que vous serez puissant ou misérable. Et c'était bien suffisant.

Avec les saisons, la fameuse couverture des *Cahiers* se fit oublier, le prestige du jeune acteur s'effilochait et avec lui ses moyens de subsistance. Patrice le héron refusait tout, ne voulant que des rôles à sa mesure. Mais bientôt il n'y eut plus rien à refuser, et plus rien à manger. Jusqu'à ce qu'une directrice de casting vienne le trouver, en mai 80. Jean-Luc Godard, lui-même, s'était souvenu du jeune homme de la couverture des *Cahiers*, le héros de cette ineptie cinématographique, et souhaitait l'engager dans une publicité, commandée au grand maître par une célèbre marque de savon. Le tournage avait lieu dans une tour HLM d'Aubervilliers, et pendant les trois jours qu'ils passèrent l'un en face de l'autre, JLG n'adressa qu'une seule fois la parole à son acteur, pour lui demander de faire « *une prise à la hauteur du cachet qu'il touchait* » – avec ses yeux effarés, emprisonnés derrière ses lunettes comme derrière des barreaux trop épais.

A la vue des rushes, la marque de savon ordonna la destruction de la pellicule, allant jusqu'à mettre en demeure le réalisateur pour atteinte morale aux valeurs de la marque. Le procès n'eut pas lieu, mais la pellicule fut bien détruite. Patrice avait sauvé de cette catastrophe un polaroid, pris par la scripte pendant un raccord maquillage et sur lequel on aperçoit, derrière le visage du père de Denise, celui de JLG par JLG. Patrice avait beaucoup souffert de ce tournage et de la destruction de la publicité. Et jusqu'à la fin de ses jours, quand Patrice évoquait le cinéaste, il ne pouvait s'empêcher de le surnommer « le limaçon ».

En plus de ce miraculeux polaroid, il y avait cet article de journal, tout chiffonné, dont Denise gardait une photocopie dans sa chambre à Périgueux. Le 24 août 1992, un article parut dans les colonnes du quotidien de gauche *Libération*. L'article était signé Louis Skorecki et avait pour objet une scène d'un épisode des *Cœurs brûlés* dont le générique déplorait, par la voix grave de Nicole Croisille, que l'amour avait oublié son cœur brûlé (« *pourtant tout avait si bien commencé* »). Le journaliste avait reconnu Patrice Maisse dans le rôle d'un marin-pêcheur, sauvant miraculeusement Mireille Darc en pleine mer, la nuit. Comment s'était-il souvenu de lui, de son nom ? S'ensuivait un dithyrambe sur la précision de son jeu et la puissance d'incarnation de l'acteur. Skorecki citait tout à la fois la grâce brute d'un Maksim Mounzouk, l'interprète de *Dersou Ouzala* et le fascinant mutisme du héros de *La Ballade de Narayama*, qui avait obtenu la palme d'or au festival de Cannes neuf ans auparavant. Le lendemain, un erratum parut dans le journal, car François Merreur, l'acteur qui interprétait vraiment ce marin-pêcheur, s'était plaint auprès de la rédaction. Il y avait eu usurpation d'identité.

Mais Matilda avait gardé l'article, et au fil des ans, tout le monde avait fini par admettre que Patrice avait vraiment joué cette séquence de quelques secondes dans la nuit. Qu'importait de vivre véritablement les choses, si on pouvait jouir de leur légende.

La voix de Gérard Rambert, au loin, alerta Denise de son arrivée dans le restaurant, apostrophant le patron derrière son comptoir, retirant sa veste, parlant haut et fort. Puis il entra dans la salle principale aux murs peints à l'éponge jaune, qui faisaient ressortir sa silhouette, vêtue d'un pantalon en velours grenat, et d'une paire de souliers violets et vernis. Denise n'avait même pas remarqué chez Gérard Rambert sa façon de s'habiller, que certains diraient « originale », mais qui était en réalité une façon de se costumer, c'est-à-dire, de porter un costume. Parce que ses parents « se costumaient » aussi pour se présenter au monde, et pour elle, c'était cela, la normalité.

Gérard demanda à Denise si elle allait bien, si elle était satisfaite de son hôtel, si la chaleur lui laissait quelque répit pour dormir, et si elle était aussi affamée que lui. Denise souriait en guise de réponse, encore trop intimidée pour prononcer des phrases intelligibles. Elle ne savait pas comment reparler de son père et de l'année 1985 sans être trop pressante. La présence de ces documents, dans son sac, documents censés apporter soutien, lui semblait maintenant incongrue et Denise ne les sortirait pas de leur pochette. Elle n'osa pas non plus éteindre le MP3 qui continuait d'enregistrer leur conversation, et Gérard reprit son histoire telle qu'il l'avait laissée la veille.

« Derrière le radiateur de mes parents, je suis donc tombé sur ces deux petits albums de photos rouge bordeaux. Je les ai feuilletés : je voyais des collines en noir et blanc. Et je me demandais ce que foutaient des photos de collines cachées dans le radiateur de mes parents.

Au bout de quelques jours, en regardant bien, je me suis rendu compte que c'était des corps, mais pas des corps normaux. Et puis il y en avait tellement. TELLEMENT. Les uns sur les autres. Je n'en ai parlé à personne, parce que j'avais l'impression d'être tombé sur un secret terrible. Je n'ai compris que vers treize ou quatorze ans, lorsque j'ai commencé à lire les premiers bouquins de Christian Bernadac sur cette période. J'ai revu les mêmes photos. J'ai compris qu'il y avait eu beaucoup de cadavres et qu'on les avait mis en colline au lieu de les enterrer. Mais j'avais pas été "informé". Mes parents n'ont jamais évoqué cette période. En te parlant comme ça, je crois que mes parents étaient déjà effrayés par moi. Ils avaient déjà peur.

A partir de mes treize ans, j'ai senti une étrangeté par rapport à eux. Un jour à la plage, ma mère est rentrée en me disant : *"La fille de Madame Spilberg a dit que tu termineras en prison."* Bizarre qu'elle ne l'ait pas gardé pour elle, non ? Les gens me voyaient avec des fréquentations plus âgées que moi, je me baladais déjà en voiture : à treize ans je trouvais les gens de mon âge très enfantins. Au casino de Deauville, le mercredi soir, il y avait ce qu'on appelait "la soirée des jeunes" – qui était interdite aux moins de quinze ans. Mais moi j'y étais. Voilà. »

Denise écoutait, silencieuse, laissant paraître un intérêt sincère, tantôt amusée, tantôt concentrée. Mais la déception crispait les muscles du visage, pinçait la bouche, tendait le front. Tout était petit sur ce visage, un nez piquant, des lèvres fendues qu'elle prenait soin de ne pas trop ouvrir, parce qu'elle n'aimait pas ses dents – ce qui donnait à sa diction l'impression de sans cesse s'excuser d'une faute commise. Elle mettait souvent les mains devant sa bouche, de grandes mains dont sa mère était si fière, et que Matilda peinturlurait comme on joue à la poupée, d'un vernis rouge qui s'écaillait presque immédiatement.

Denise voyait les minutes défiler sur la grande horloge blanche et noire suspendue en face d'elle, au fond du restaurant. Il fallait bien se rendre à l'évidence : Gérard ne parlerait pas de son père. Mais pourquoi ? Elle avait pourtant été claire en lui téléphonant. « *Je crois que vous avez connu mon père en 1985. J'aimerais vous poser des questions sur lui.* » Pourquoi à présent faisait-il comme si de rien n'était ?

Les deux femmes assises à côté, la mère et la fille, s'étaient tues pour écouter la conversation de Gérard. Elles attendaient leur addition sans se presser, outrées des propos qui tombaient dans leurs oreilles tendues, scandalisées ou fascinées peut-être – se regardant droit dans les yeux pour la première fois depuis longtemps.

« Mon frère a eu une mobylette quand j'avais neuf ans. Déjà le vélo est un instrument de liberté FARAMINEUX pour les enfants. Alors quand il y a un moteur qui vient se greffer dessus, ça devient la liberté TOTALE.

A quinze ans, je passais ma journée en mobylette. J'étais curieux, j'allais à droite, à gauche, j'allais partout. J'allais pas *quelque part*, je roulais. Je jouais aux cartes, j'allais aux courses de chevaux. Le poker entraînait un rapport avec le temps que j'aimais bien. Une question d'immédiateté, de conséquences. De résultats. A seize ans, je ne rentre pas chez mes parents avant cinq heures du matin. Je pique les clefs de la voiture de mon père tous les soirs. Mais je suis obligé d'attendre très tard, parce qu'il faut que je retrouve la même PLACE quand je vais rentrer. Donc il faut que toutes les voitures de la rue soient bien garées. A seize ans je commence à vivre à minuit.

J'ai des copines qui sont… comment on appelait ça ? Des filles de chez Claude. Elles ne peuvent pas – on est en 1969 ou 1970 – aller seules dans les restaurant ou les magasins. C'est l'époque qui veut ça. Il n'y a pas la libération de la femme. Et leurs amants, leurs clients, ne les emmènent pas déjeuner ni faire les boutiques. Donc je deviens la mascotte de ces filles, qui m'achètent des chemises, qui rigolent avec moi, m'aiment beaucoup, m'invitent au restaurant, où je suis le seul garçon à table avec huit filles. A quatre heures du matin il y en a toujours une qui dit : *"J'ai peur de dormir toute seule, viens dormir à la maison Gérard."* Et je suis toujours puceau ! ET JE SUIS TOUJOURS PUCEAU. Il n'y a pas de sexualité entre nous. Elles, elles ont entre vingt-cinq ans et trente-cinq ans. Ce sont des femmes, des professionnelles. J'étais amoureux de toutes. L'une s'appelait Marie Tonaut – cela ne devait pas être son vrai nom –, une brune kabyle qui était la maîtresse d'une star de cinéma. Elle habitait rue de Ponthieu et je dormais souvent chez elle ; c'était une des premières filles avec des implants mammaires et elle voulait me les montrer tout le temps, tout le temps, tout le temps. J'étais nu à côté d'elle dans le lit et j'entendais : *"Oh Gérard, j'ai envie de faire l'amour !"* Et moi je faisais semblant de dormir. Il faut le faire non ?

J'ai eu mon premier rapport à dix-sept ans et demi, avec une fille qui s'appelait Françoise Doisneau. Elle était vendeuse de chaussures chez Céline, avenue Victor-Hugo. Elle était partie à Deauville avec le frère aîné d'un copain d'école, qui nous avait emmenés avec eux. Le samedi soir, le grand frère m'a donné deux cents francs en me disant : *"Ecoute, j'ai laissé la voiture à Françoise, elle a envie de danser, rends-moi service emmène-la quelque part.*" Je l'ai accompagnée au « Galapagos », une discothèque à la sortie de Deauville. Au retour, quand elle est venue dans mon studio, elle a tout de suite compris qu'elle avait affaire à un innocent. Alors elle a passé la nuit avec moi. Puis les jours suivants. Au bout d'une semaine elle m'a dit : *"Bon écoute maintenant Gérard, tu peux y aller, c'est mieux de jour en jour, ça y est, tu peux te lancer.*"

Disons que j'ai eu une marraine formidable.

Donc à dix-sept ans je roulais sans permis, dans une voiture entre guillemets empruntée, je sortais dans des clubs. Il y avait « Régine » et « Castel » rive gauche – Castel je n'entrais pas. Rive droite c'était « Le Privé » rue de Ponthieu. La jeune femme à la porte s'appelait Natacha. Mais c'était vraiment LE club de la rive droite. Bien avant l'Elysée-Matignon, l'Aventure… Je ne buvais pas d'alcool bien sûr. J'ai jamais bu d'alcool et les premières drogues que j'ai prises, j'avais vingt-trois ans. Je jouais aux cartes, je dormais avec des filles qui étaient belles, qui étaient plus âgées que moi et qui m'offraient des chemises, des cravates, des fleurs – des fleurs, tu te rends compte ? Je passais l'après-midi rue du Faubourg Saint-Honoré à les accompagner, porter leurs courses, leurs sacs. Et elles me filaient du fric. C'est-à-dire qu'au lieu d'aller au lycée à Janson-de-Sailly, en classe de première, j'allais faire des courses rue du Faubourg Saint-Honoré. J'ouvrais les portières des voitures. Habillé. En cravate. Il fallait absolument que j'aie l'air d'être plus âgé que je ne l'étais.

Le meilleur été que j'ai passé enfant. J'ai cinq ans. Il y a des travaux à la maison chez mes parents, donc on s'installe deux mois au « Royal » à Deauville et mon meilleur ami c'est le type qui gare les voitures. Celui qui est habillé en AMIRAL. Il m'emmène chercher les voitures. Et puis j'ouvre les portières aux clients, je suis déjà très "femme femme femme". Pas du tout fillette – j'ai jamais joué au docteur. »

En sortant du restaurant Denise avait du mal à tenir sur ses jambes, tremblant dans son grand corps cagneux, écœurée par la mauvaise omelette avalée en silence, soudain l'envie de marcher sous des arbres, de sentir l'air sur la nuque. Pas une seule fois, durant tout le déjeuner, Gérard n'avait fait allusion à l'année 1985. Etait-ce si grave, de fouiller dans la vie de ses parents ? se demanda-t-elle en remontant la rue. Des bribes de conversation résonnaient dans sa tête, les implants mammaires, Madame Claude, Deauville – elle visualisait la plage, les planches, pour les avoir vues dans des films –, les mobylettes, et le dépucelage de Gérard. C'était surtout cette histoire qui la travaillait, parce qu'elle était encore vierge. Mais Denise avait décidé que ce serait le dernier été.

Denise chercha le jardin du Luxembourg en se souvenant qu'elle y allait, enfant, avec sa mère et sa tante Zizi (la femme de son oncle Juan qui avait seulement dix ans de plus que Matilda). Denise se dit qu'elle irait revoir le théâtre de Guignol et le bassin, où ils n'avaient jamais eu le droit, ni son frère ni elle, de louer des petits bateaux, ni de faire un tour de poney sur la grande avenue.

Denise ne retrouvait pas le chemin du jardin. Dans la rue elle se décida à arrêter un homme qui regardait droit devant lui, préoccupé, vaguement souriant, un type immense avec quelque chose de rassurant dans ce grand corps, portant une veste en daim trop chaude pour la saison, un pull rouge et de grosses lunettes à monture noire. Ses paupières recouvraient presque ses yeux, qui devinrent inquiets au moment où Denise lui demanda la direction du jardin. Il hésita, lui montra du doigt des grilles derrière lui, puis mit sa bouche derrière sa main. Il hésita encore, le jardin étant juste derrière, elle pouvait prendre deux rues différentes pour y aller, une plus courte que l'autre, mais bizarrement, expliqua-t-il, il préférait prendre l'autre, oui, il lui conseillait l'autre rue, et lorsqu'il eut fini d'indiquer la route, il sembla soulagé. Il sourit, d'un sourire si doux et triste à la fois, ses lèvres et ses oreilles rougirent de timidité et Denise le remercia avant de s'éloigner.

En entrant dans le jardin – d'abord on ne voit que le chemin gris du goudron, puis le vert des pelouses, les palmiers et enfin tout surgit, les ondes colorées des insectes et des oiseaux au bord du bassin, le bruissement des palmiers et la vibration des jaunes et des roses fuchsia – Denise repensa à la tante de sa mère, Zizi, qui les attendait à l'arrêt du bus 68, la perruque de travers, parce qu'elle avait commencé le Pastis tôt le matin pour se donner le courage de passer l'après-midi avec deux enfants, elle qui n'en avait voulu aucun. Oust ! Elles les avaient tous fait passer les malheureux, expliquait-elle devant les plats parfumés des restaurants chinois aux vitres teintées de la rue de Ponthieu. Zizi aimait emmener déjeuner Denise et Klein dans les restaurants des Champs-Elysées qui lui rappelaient sa jeunesse, à l'époque où c'était un quartier peu fréquentable. A la fin du repas, ivre morte, Zizi chantait et mettait l'addition dans son sac, se levait et partait sans payer. Les enfants devaient attendre et la rejoindre cinq minutes plus tard. L'opération marchait à tous les coups. Ce n'était pas un stratagème qu'elle leur avait inculqué, non, cela s'était passé une première fois ainsi, puis d'autres, sans que jamais ils n'eussent besoin de régler le dispositif. Ils se retrouvaient à l'arrêt du 68 qui les ramenait du rond-point des Champs à chez eux, et sur le chemin du retour, Zizi les engueulait d'avoir oublié de mettre leurs couverts à quatre heures vingt en terminant leur assiette. Des petits singes sans éducation.

Un jour, Zizi avait expliqué à Denise et Klein que leurs parents avaient fait seulement deux fois l'amour ensemble. La première fois sous LSD et Patrice eut comme un filtre bleu sur la rétine. C'était pour ça qu'ils avaient appelé leur fils Klein, et Zizi ne supportait pas l'enfant à cause de ce prénom absurde, elle se moquait de lui dans une articulation rendue difficile par l'alcool, les mots se mettaient à chuinter entre ses dents et Denise se demandait si un relent de nourriture bouillie remontait de la gorge de Zizi vers ses gencives, avant de reconnaître plus tard la diction des alcooliques.

— Quelle fumisterie, *International Klein Blue* ! disait Zizi en massacrant l'accent anglais, il était tout le temps fourré chez nous, Yves, qui était un abruti et un obsédé – il aurait pu dépuceler n'importe qui, même toi ma pauvre Deniss –, ce cochon allait acheter ses pigments bleus dans une mercerie à côté de chez nous, aux Abbesses, je l'accompagnais souvent. Ce doit être désespérant d'être baptisé du nom d'un escroc, c'est encore bien pire que de porter le nom d'un saint.

Denise avait de la chance, Zizi ne trouvait rien à redire à son prénom, dont elle modifiait la consonance en l'appelant « Deniss ».

— Deniss ne mets pas tes doigts dans la bouche.

— Deniss est-ce que tu as déjà vu un coiffeur ?

— Deniss cesse de rire la bouche ouverte.

— Deniss la vue de tes ongles me coupe l'appétit.

— Deniss tu te tiens comme un petit bossu, je vais te caresser le dos pour que cela me porte chance.

— Deniss n'essaye jamais de faire rire, qui que ce soit.

— Deniss. Deniss. Deniss.

C'était resté. A l'âge de quinze ans, Denise commença à se faire appeler Deniss. Elle se disait que si Zizi était toujours vivante, c'est à elle qu'elle aurait demandé où était passé son père l'année 1985 – elle aurait répondu sans faire d'histoires, pour sûr. Mais elle était morte quatre ans auparavant, en regardant la télévision, imbibée d'alcool, habillée simplement d'un pull-over et d'un soutien-gorge, sans culotte ni pantalon. Les policiers, alertés par des voisins, l'avaient trouvée cul à l'air, visage enfoui dans la moquette élimée.

Dans le jardin du Luxembourg, Denise se sentait tomber légèrement malade, mais comment distinguer la moiteur de la fièvre de celle de la chaleur qui colle à la peau. Elle percevait en échos, loin derrière, la voix de Gérard Rambert. Sa voix si singulière. Elle l'entendait parvenir d'un cercle invisible, comme lorsque vous avez fixé longtemps une source lumineuse et qu'il vous reste sur la rétine l'image de la tache sombre sur tout ce que vous regardez. Tous ces sons autour d'elle, et même la persistance auditive de la voix de Gérard, avaient fini par se réguler en un bruit blanc, continu et neutre, composé de toutes les fréquences, chaque fréquence ayant la même énergie, le bruit lointain d'une fuite de gaz ou d'une vieille télévision déréglée. S'ajoutait à cette sensation la brûlure du soleil sur sa peau, et tout cela la replongeait deux semaines en arrière, lorsqu'elle était partie à Porquerolles avec son frère Klein, et qu'ils firent la connaissance de Paul-Antoine, qui l'avait mise sur la trace de Gérard Rambert.

Le 1er juillet, Klein avait demandé à Denise de partager sa semaine de vacances. C'était la première fois qu'il lui proposait un truc pareil, sa petite amie Wanda ayant été engagée au dernier moment dans un Molière au festival off d'Avignon, plantant Klein de la moitié du loyer d'un studio sur une île à l'autre bout de la France. Klein ne pouvait pas envisager de partir seul, il lui fallait un miroir à son âme et quelqu'un pour s'occuper de lui. En dernier recours et pour des questions essentiellement financières – il avait aussi payé les billets de train –, il avait demandé à sa sœur, qui voyageait rarement, de se joindre à lui.

Le lendemain de leur arrivée sur l'île de Porquerolles, ils apprirent à la une des journaux la mort de Marlon Brando et Klein en fut bouleversé ; il confectionna une petite figurine avec de la cire de bougie et de la mie de pain qu'il enterra dans le sable pour faciliter « son travail de deuil ». Puis il obligea sa sœur à chanter une berceuse portugaise qu'ils avaient apprise en CM1, la première année où Klein redoubla et qu'ils se retrouvèrent dans la même classe.

Après la cérémonie, ils allèrent en vélo visiter la maison de *Pierrot le fou* et devant la ruine dégueulasse qui ne ressemblait plus à rien, Denise dut écouter son frère réciter des monologues de Ferdinand – merde, la dynamite, la ligne de chance et les vers de Rimbaud. Denise crevait de chaud et gonflait à cause des piqûres de moustique, ses pieds réagissaient mal à la chaleur, se bombant comme ceux d'un éléphanteau. Klein, lui, ne voulait jamais se déshabiller, même sur la plage, il ne quittait jamais son bonnet en laine, refusant de se baigner. Denise passait un peu de crème sur le visage de son frère, qui ne pouvait pas le faire lui-même à cause de son dégoût du sable qui colle entre les doigts, puis il partait lire des pièces de Koltès sous le parasol des voisins. Klein était capable de parler de longues heures avec des mères de famille divorcées ou des semi-clochards alcooliques. Avant de partir, il avait déniché sur ebay un appareil photo Minox qu'il traînait partout avec lui. Son projet était de photographier sa sœur avec des inconnus sur la plage, en particulier des vieilles femmes à silhouettes d'entonnoirs, ou des vieillards à la moustache odorante, chapeau mou sur la tête et mini-maillot moulebite, sur de vieilles cannes vaguement musclées. Un projet « à la Martin Parr » dont Denise, avec son grand corps de pantin désarticulé, son tatouage de vierge marie, était l'héroïne kitsch. Des jambes plus longues que le buste, toutes blanches et droites, des bras maigres en pattes de crabe, une poitrine défaillante, un petit visage dont le charme n'apparaissait qu'une fois l'œil habitué à l'extraordinaire touffe de cheveux noirs hérités de sa mère. Au début de l'adolescence, Zizi, préoccupée par les changements physiques de la petite fille, lui avait offert une photographie noir et blanc de Françoise Dorléac. « *Regarde-la souvent, à force, tu pourras réussir à lui ressembler.* » Et Zizi, une fois de plus, avait eu raison. Avec sa frange, ses pommettes et son petit nez, Denise avait fini par tirer ses traits vers une géométrie étrangement agréable.

En rentrant de la plage, Klein et Denise passaient prendre une douche dans leur studio, avant d'aller à la terrasse de l'hôtel *L'Escale* sur la place du village, un petit hôtel où ils se faisaient passer pour des clients, afin de profiter du buffet à volonté – c'est là qu'ils avaient repéré Paul-Antoine. Dès le premier soir.

Parmi la clientèle familiale de l'hôtel, Paul-Antoine détonnait. Car il était toujours seul et chiquement habillé de blanc. « *Tu sais ce que c'est le chic ?* lui avait un jour demandé Zizi, *le chic, c'est une nonchalance tenue.* » Denise et Klein l'avaient surnommé Thomas Mann, à cause de sa manie de lorgner méchamment sur Klein. « *Attention, Thomas Mann en direction du buffet desserts.* » Denise, elle, n'existait pas aux yeux de Thomas Mann. Elle n'était même pas sûre qu'il lui aurait donné, si la décision lui en était revenue, la permission de vivre. Ils firent sa connaissance, un après-midi, sur la plage d'argent dont l'unique snack était fermé pour traitement anti-guêpes, ce qui les avait mis, Klein et surtout Denise, de mauvaise humeur.

Paul-Antoine était un de ces hommes de soixante-dix ans qui, à force de soin, pensent en paraître dix de moins. De jolis cils, espacés les uns des autres, dans un demi-cercle parfait, étaient le seul témoin de sa féminité. Paul-Antoine était toujours impeccable, excepté un bob de couleur kaki, protégeant sa peau des rayons du soleil, qui donnait à sa silhouette un air grotesque. On aurait dit qu'il venait de l'emprunter occasionnellement, ayant égaré son panama sur la plage. Pourtant non, le bob n'était pas un accident, et on le retrouvait presque tous les jours flanqué sur la tête de Paul-Antoine, comme un hôte indésirable dont on ne parvient pas à se dépêtrer en vacances.

Lorsqu'il aperçut Klein devant le buffet des antipasti, hésitant longuement entre des filets d'aubergines baignant dans l'huile pimentée et des champignons de Paris farcis à la tomate, Paul-Antoine avait ressenti une douleur dans la poitrine et son sexe avait gonflé dans un mouvement chaud et humide. Il était devenu fou, à la seconde.

Dès le premier jour, il prétexta posséder des billets supplémentaires pour le concert du soir. C'est ainsi qu'il entra en contact avec eux, leur proposant ensuite de partager une table pour dîner ensemble. Klein lui expliqua qu'il avait peur de la foule, et n'allait jamais au concert. Les trois soirs qui suivirent, ils échangèrent quelques propos fades sur les balades des environs, les plages secrètes et la météo du lendemain. Les journées de Paul-Antoine ne passaient que dans la perspective du soir, et elles passaient trop lentement. Il finit, en dépit de son avarice, par leur proposer – il fallait bien se fader la sœur – une invitation à déjeuner dans un hôtel de luxe à l'autre bout de l'île.

Une voiturette dépêchée par l'hôtel était venue les prendre sur la place du village, ainsi que d'autres vacanciers. On aurait pu imaginer deux grands enfants en vacances avec leur père, et Klein aimait cette idée. Denise le voyait parler à Paul-Antoine soudain sur un ton différent, bien plus familier, pour entretenir l'ambiguïté, le temps du voyage. Déjà, pendant la traversée du bateau, Klein avait fait croire à un groupe de retraités que Denise et lui étaient un jeune couple fêtant leur voyage de noces à Porquerolles. Les vieux avaient voulu prendre leurs coordonnées pour leur offrir une bouteille de champagne, un soir sur l'île, et Klein avait laissé le numéro de portable de Wanda. Cela le faisait rire. Et il imaginait régulièrement la conversation télé-phonique entre eux.

Pour Klein, toutes ces situations étaient des expé-riences de jeu, des exercices qui le faisaient, jurait-il, progresser dans son art.

De tout le déjeuner, face à la mer, Paul-Antoine ne s'adressa qu'une seule fois à Denise. Klein jouait l'adolescent rebelle, parlait peu, répondait aux ques-tions par « oui » ou par « non », commandait ce qu'il y avait de plus cher sur la carte, ce qui obli-geait Denise à commander le moins cher pour compenser. Paul-Antoine finit par se vexer de la situation, sa voix devint aiguë, un peu sèche, trahissant quelques tremblements dans ses fins de phrases lorsqu'il s'adressait au serveur. Il commanda du vin. Reprit ses esprits après le second verre, et demanda à Klein s'il connaissait un très grand ami à lui metteur en scène, qui avait eu beaucoup de succès depuis les années quatre-vingt. Un artiste novateur, d'une grande intelligence – sa fiche Wikipédia indiquait : ses travaux combinent recherches plastiques, réflexions politiques et exploration des obsessions humaines. Oui, il l'aimait beaucoup, il pourrait peut-être, à l'occasion, lui présenter… Paul-Antoine faisait durer la phrase, ménageait son effet, aiguisait l'intérêt du jeune homme, à ce moment mi-attentif, mi-incrédule, avant de glisser le nom de « Patrice Chéreau ». Klein s'arrêta de respirer à ces deux mots, et l'on vit son œil se réveiller comme celui d'un chien soudain stimulé par un bruit inattendu.

Sans rien laisser paraître, Paul-Antoine jubilait en silence de sa victoire, et ce fut à ce moment précis qu'il se retourna vers Denise, pour lui demander si son poulet à l'estragon était suffisamment cuit, et s'il lui convenait. Savourant son effet, Paul-Antoine voulait maintenant parler de gastronomie.

Denise le remerciait, le poulet était parfait et elle lui proposa de goûter son plat. Il déclina l'offre, mais souhaitait volontiers essayer le homard de Klein. Le garçon s'empressa de dégager son assiette, et Paul-Antoine se coupa, en guise de récompense, un beau morceau du crustacé rose, qu'il mastiqua avec un bruit flasque qui trahissait la présence d'un dentier.

Denise déplorait la naïveté de son frère : si Klein avait eu un tant soit peu d'orgueil ou un sens de la stratégie, il n'aurait pas relevé le propos de Paul-Antoine. Il aurait laissé émousser son intérêt. Mais son frère était souvent un imbécile. Klein changea de ton : il voulait tout savoir, devenait volubile et curieux, posait mille questions, comment avait-il rencontré Chéreau, à quelles mises en scène avait-il assisté, avait-il connu Gérard Desarthe, parlé à Hervé Guibert, croisé Koltès, pouvait-il décrire le jeu de Pascal Greggory. Paul-Antoine entama un interminable monologue jusqu'au dessert, sur sa vie passée nocturne, en compagnie d'artistes alors inconnus, devenus morts ou célèbres. De tout cela, il était bien sûr difficile de démêler le vrai du faux. Denise lui posait quelques questions elle aussi, reconnaissant parfois le bruit vide du toc dans ces souvenirs de jeunesse. C'est alors que Paul-Antoine raconta une anecdote étrange au sujet d'une autre idole de la mise en scène.

Un soir, Paul-Antoine se rendit à Chaillot, où Antoine Vitez, qui venait d'être nommé directeur après avoir quitté le TNP, mit en scène le *Faust* de Goethe.

On était en 1981 et l'événement était tel, que le président de la République, François Mitterrand lui-même – Paul-Antoine prononçait « Mittrand » – s'était déplacé pour assister à la soirée de première.

Antoine Vitez l'avait accueilli à son arrivée, honorant ainsi ses fonctions de directeur du théâtre de Chaillot. Les deux hommes s'étaient serré la main dans le hall en effervescence, toute l'équipe administrative était restée, mobilisée par cette venue si importante, symbole d'un renouveau culturel et du combat politique mené depuis plusieurs décennies en France.

On proposa au Président de mettre ses affaires personnelles dans une loge fermée à clef, au lieu du vestiaire commun. Il serait ainsi plus à l'aise pour assister à la pièce et le Président accepta volontiers – c'était une époque où, sortant d'un club au petit matin, à l'angle de la rue de Rennes et du boulevard Saint-Germain ou rue Monsieur-le-Prince, vers le boulevard Saint-Michel, Paul-Antoine croisa à plusieurs reprises la silhouette de François Mitterrand, mirage vrillant dans l'entre-deux jour, seul, sans garde du corps ni compagnie, car le président de la République aimait par-dessus tout les promenades solitaires dans Paris.

La représentation commença, avec un peu de retard. Paul-Antoine se trouvait là, avec toute une bande d'amis, au premier rang. Monté dans les cintres, Antoine Vitez embrassait la scène et la salle dans un seul regard. Au huitième rang, à jardin, il aperçut deux lueurs brillantes, comme si le Président le regardait fixement. Une idée vint s'installer, comme un mauvais animal qu'on ne déloge qu'après de nombreuses tentatives plus ou moins violentes, dans son crâne.

Le metteur en scène mit la main à sa poche, tâtant le trousseau de clefs que le directeur technique lui avait laissé pour la soirée et dans lequel se trouvait le passe permettant d'ouvrir toutes les portes du théâtre, sans exception.

La pièce venait de commencer, les répliques étaient lancées, le vertige de la première minute passé, son cœur reprenait un rythme normal, un rythme lui permettant de redescendre dans le hall, passer par les bureaux de l'administration, se glisser dans les couloirs vides, éviter les ouvreurs, pour se rendre dans la loge devenue présidentielle depuis qu'on y avait consigné les affaires personnelles du premier personnage de l'Etat.

Il mit le passe dans la serrure, la porte s'ouvrit avec facilité, il appuya sur l'interrupteur. Les dizaines d'ampoules qui entouraient le grand miroir en demi-cercle clignotèrent deux ou trois fois avant de se fixer.

Sur la table de maquillage, un attaché-case marron, une sacoche en cuir, une écharpe – qui n'était pas rouge –, un manteau bleu nuit en alpaga et un chapeau de feutre noir, avaient été posés à la hâte. Antoine Vitez toucha doucement le rebord du chapeau, d'abord du bout de ses doigts, pas tant par curiosité, mais parce que l'excitation de cet interdit lui faisait oublier celle du trac de la représentation. Il y avait plus de cinq cents personnes dans la salle à côté de lui, et pas une seule ne pouvait s'imaginer la scène qui se déroulait en ce moment même. Et cet inattendu-là, cet impensable qu'il vivait en solitaire à cette seconde, était une des choses pour lesquelles il aimait vivre. Antoine Vitez prit le chapeau à pleine main, sans réfléchir à ce geste, et le posa sur sa tête, face aux miroirs allumés. La taille convenait à peu près, quoiqu'il n'osa pas trop l'enfoncer, de peur d'y imprimer une forme différente – en se regardant dans la glace aux petites ampoules, Antoine Vitez se vit soudain scintiller comme une vierge marie dans son alcôve. Cela le fit sourire. Puis il ne sourit plus. Le visage sérieux de son père était apparu en face de lui et l'examinait droit dans les yeux. Troublé par ce vieux reflet familier, il voulut pousser plus loin le chevauchement des corps, et enfila le manteau du Président, non par sacrilège, mais pour compléter la panoplie. Aller au bout du costume paternel. Le manteau était légèrement trop petit aux coutures des épaules, la laine était très agréable, à la fois lourde et souple. Tout en fixant le personnage dans le miroir, superposant la stature de son père à la statue du Commandeur, il plongea ses mains dans les poches, exactement comme lorsqu'il demandait à ses acteurs de « bouger » pour voir si le costume « sonnait juste ». Au bout de sa main droite, il sentit sous les doigts un morceau de papier un peu rigide.

C'était une photographie en noir et blanc, en assez bon état. On y voyait trois personnages. Au premier plan, deux hommes se regardaient de profil. L'un vieux, une allure de patriarche à la moustache blanche. L'autre, jeune, beau, en costume. Portant un mouchoir blanc à sa boutonnière. Le troisième homme, dans l'ombre des deux autres, parlait à quelqu'un, en dehors de la photo. Les trois êtres étaient éclairés par une lumière en contre-plongée, violente, qui projetait leurs ombres sur le mur – et ces ombres, formant un halo noir au-dessus de leurs têtes, donnaient l'impression grotesque que les trois hommes étaient coiffés de hauts chapeaux russes.

Antoine Vitez reconnut d'abord le vieil homme. Son profil était aussi facilement identifiable que celui de Louis XVI en fuite à Varenne. Oui, il s'agissait du maréchal Pétain, avec son buste de marbre blanc, pâleur sur pâleur, bouche entrouverte. Il fixait droit dans les yeux le jeune homme souriant, à la mâchoire large et tendre. Mais qui était ce jeune homme ? Antoine Vitez le connaissait, ce visage lui était familier. Où l'avait-il déjà vu ? Il se pencha vers le miroir, pour ajouter un peu de lumière sur la photographie mais il lui fallut du temps pour le reconnaître. Pourtant, c'était si évident. L'homme en face de Pétain, c'était celui à qui il venait de serrer la main. C'était François Mitterrand. Quand il comprit ce qu'il tenait entre les mains, Antoine Vitez fut traversé d'un frisson glacé et c'est comme si soudain, toute sa salive s'était retirée de sa bouche. Il eut du mal à déglutir, et ne put plus regarder son reflet dans la glace. Il enleva le chapeau, comme l'on rentre dans une église. Défit les boutons du manteau. Ferma la loge à clef. A l'entracte, on lui fit savoir que le Président avait froid, et qu'il souhaitait récupérer ses affaires avant la deuxième partie de *Faust*.

Klein ne perdait pas une seconde du récit. Denise, qui trouvait Paul-Antoine trop précis pour être honnête, avait de la peine pour son frère. De le voir soudain si docile et séducteur. Il buvait chaque parole, s'intéressait à tout, étalait sa maigre culture, n'en pouvait plus.

Paul-Antoine parlait du milieu du cinéma, qu'il côtoyait à la fin des années quatre-vingt. Leur panache, leur talent, leur déglinguerie furieuse à tous. Et il évoqua un acteur météore, le plus doué de sa génération, le plus pur, le plus époustouflant, dont il avait été particulièrement proche, un jeune homme d'une beauté franche qu'il avait aimé plus que les autres. Paul-Antoine exagérait, oui, il voulait susciter la jalousie de Klein. Et le stratagème aurait pu fonctionner s'il ne s'était pas retourné contre lui. Car, quand Klein et Denise lui firent comprendre qu'il déjeunait avec les enfants de ce jeune homme dont il évoquait la mémoire, Paul-Antoine eut de grandes difficultés à cacher son malaise. Klein n'était pas du tout gêné de la situation, bien au contraire, il se sentait en famille, et espérait que cette coïncidence noue des liens supplémentaires avec cet homme providentiel qui pourrait lui présenter Patrice Chéreau. Klein continuait de lui poser mille questions sur son passé et ses relations, mais en face il n'y avait plus de répondant. La vieillesse s'était abattue sur Paul-Antoine comme une immense injustice. Plus rien n'avait d'intérêt, il était las, le vin était mauvais, lui avait tourné l'estomac, il voulait rentrer au village se reposer.

Il paya la note de mauvaise grâce, demanda aux enfants s'ils avaient de la monnaie pour le pourboire, et quitta la table, chancelant, sans attendre de réponse.

Il disparut.

Le soir, il n'était pas au buffet de l'hôtel. Ni à la plage le lendemain. Il avait peut-être quitté l'île, qui sait.

Paul-Antoine réapparut deux jours plus tard, dans le bateau qui les ramenait à Hyères. Il y prenait sa voiture pour rentrer à Marseille, Denise et Klein le train pour Paris.

Il se tenait à l'écart, à l'extérieur, sur le pont du bateau. Dans la queue, il avait fait mine de ne pas reconnaître les enfants, fuyant leur regard.

Pendant ces deux derniers jours sur l'île, Denise avait repensé à tout ce qu'il leur avait raconté, et les dates correspondaient. Oui, il avait dû connaître leur père vers les années 86, 87.

Denise fit une chose qui ne lui ressemblait pas du tout : elle sortit sur le pont et se planta devant lui. Il fallait parler fort et se tenir les cheveux à cause du vent. D'abord elle le remercia pour le déjeuner, parce qu'ils n'avaient pas eu l'occasion de le faire, puis demanda à Paul-Antoine en quelle année il avait rencontré son père.

Il répondit simplement qu'il les avait vus, la première fois, son frère et elle, pendant l'été 1986. Et bien sûr, treize ans plus tard, à l'enterrement. Au cimetière de Passy. Le cœur de Denise se mit à battre, tout était si beau autour d'eux, le soleil et la mer comme un miroir idéal, oui, c'était le bon moment. Elle n'eut pas besoin de lui expliquer les choses en détail, il comprit tout de suite. Où elle voulait en venir. Il sut ce qu'elle voulait savoir.

Plus tard elle se demanderait s'il avait menti sur le bateau. Aujourd'hui, avec le recul, elle se dit que c'est possible. Peut-être avait-il voulu respecter le silence de son père. Et peut-être était-il tout simplement sincère.

— J'ai rencontré ton père en 1986, au Pimm's ou au Sept, je ne sais plus – un des clubs de la rue Sainte-Anne. C'était juste après son année de voyage. C'est comme cela qu'il l'appelait. Son année de « voyage ». Même s'il n'a pas voyagé durant cette année-là. Ça j'en suis sûr. Mais je n'ai aucune idée d'où il pouvait bien être, et je dois te dire que je n'ai jamais voulu savoir. Ton père était un très jeune homme, farouche, qu'il ne fallait pas blesser. La seule chose que je peux te dire, c'est qu'il me parlait toujours d'un certain Gérard Rambert, qu'il avait connu pendant son « voyage », et qui le fascinait. Je me souviens qu'il travaillait dans l'art. Je l'ai croisé une fois, un type excessif. C'est tout.

Arrivés à Hyères, Klein changea son billet pour rejoindre Wanda à Avignon. Ils s'étaient rabibochés par téléphone et il demanda à sa sœur de prendre un train plus tard, qu'elle attende avec lui, afin qu'il ne reste pas tout seul dans la gare.

Sur le quai, Denise évoqua sa discussion avec Paul-Antoine. C'était la première fois qu'elle reparlait avec son frère de la disparition de leur père. Cela ne l'intéressa pas vraiment. Dans le souvenir de Klein, leur père n'était parti qu'un mois ou deux, et Zizi lui avait dit, un jour, qu'il avait vécu dans une communauté de dégénérés hippies. Il ne comprenait pas bien l'intérêt de sa sœur pour ces souvenirs lointains, préoccupé seulement par les retrouvailles avec Wanda. Denise insistait : en effet, il avait vécu dans une communauté hippie, mais ça, ce n'était pas en 1985. C'était bien avant, pendant les vacances d'été, avec des cousins. Patrice avait fait des camps de vacances avec son oncle et sa tante à la fin des années soixante-dix, mais cela n'avait rien à voir avec le « voyage ». Klein n'écoutait plus, son train arrivait en gare, il se fichait pas mal de toutes ces histoires et n'avait pas envie de parler de son père.

Dans le train qui la ramenait à Paris, Denise se souvint de la dernière fois où elle avait vu Patrice. Il lui avait donné rendez-vous à l'hippodrome de Vincennes, où il jouait depuis quelques mois. C'était son nouveau truc, une nouvelle occasion de se déguiser. Il avait la panoplie complète : canadienne en velours, béret et jumelles autour du cou. Ça le reposait de Monsieur Dame.

Denise n'était jamais allée aux courses et d'abord,

elle ne comprit rien au lieu. Comme un tableau de Bruegel, il fallut que son œil s'habitue au four-millement, au vrombissement d'une gare le premier août. Elle chercha son père au milieu des types qui brandissaient des billets vainqueurs et de très vieilles dames en col fourrure consultant leur jour-nal avec le sérieux d'un notaire un jour de vente. Au sol, volaient les tickets, confettis déchirés après la défaite, aux pieds des loueurs de jumelles et des rangées de cabines à « 10 F ». Denise demanda com-ment se rendre aux tribunes du champ de courses, on lui indiqua la direction, derrière les portes bat-tantes.

L'horizon illumina son regard, elle fut surprise de voir soudain tant de ciel et si bas. L'hippo-drome était noir, d'une matière lisse et parfaite, un réglisse mat. Au loin, des toits de voitures rangées, des drapeaux qui vrillaient, et plus loin, très loin, la ville. Sous les nuages, un écran géant au codage fou créait un tissage de sens et de déclinaisons. Dans un micro assourdissant, une voix présentait les chevaux qui entraient en piste. Les groupes se formaient sur les gradins, une famille de blonds pla-tine en casquettes bicolores fêtait une victoire dans des flûtes en plastique aux côtés d'adolescents en costumes victoriens. Tandis qu'ils apprenaient que Ready Cash se décontractait dans le dos de Pretty Dancer, et qu'une jument dangereuse était déférée, Denise posa sa main sur le dos de son père, qui, au lieu de lui dire bonjour, lui lut la description de son favori, « Olga du Biwetz, numéro 7. Couleurs, rouge, t.blanche, coutures rouges, 2.196.795. gains, et 31M2(10) 011. » Denise aimait les notices, depuis celles des paquets de corn flakes qu'elle passait des heures à déchiffrer au petit déjeuner dans un état de torpeur.

Soudain, son père se leva avec tous les autres, sans la moindre attention pour Denise. La course commençait, les cœurs battaient. Un homme tourmenté commentait la course dans un phrasé hystérique et haché, une démence contenue. Mais tout allait trop vite. Une femme poussa un cri quelques rangs au-dessus d'eux. Le cri d'un être lésé. Applaudissements. La course était terminée, la foule frissonnait. Denise aussi. Mais Patrice avait perdu. C'était fini, il n'était plus d'humeur. Il voulait rentrer. Denise regarda les joues creusées de son père, il avait beaucoup maigri. Elle sentit alors que c'était la dernière fois qu'elle le voyait et elle avait raison. Si elle avait su, elle lui aurait sans doute posé plus de questions. Sur son enfance. Sur ses parents. De tous ceux-là elle ne savait pas grand-chose. Il n'en parlait jamais. Elle se rendait compte qu'en deux seuls rendez-vous, elle connaissait aujourd'hui bien plus l'enfance de Gérard Rambert que celle de son père.

Aujourd'hui elle se retrouvait seule dans le jardin du Luxembourg, au beau milieu de ses souvenirs d'enfance. Et l'allée des poneys, où elle voyait les enfants faire des allers-retours dans l'odeur du crottin et le bruit des sabots, lui sembla ridiculement petite.

Denise repensait au comportement étrange de Gérard Rambert ; il savait pourquoi elle était venue. Et il n'avait rien dit. Il avait parlé sans s'arrêter, pendant tout le déjeuner, et au dessert, après avoir insisté sur le fait qu'il ne posait jamais de question, il l'avait brusquement congédiée. Gérard avait bien vu la déception dans son regard. Mais il avait dit au revoir. Sans autre rendez-vous.

« Je suis devenu un adolescent entre guillemets voyou. Voyou naïf ! Je rencontre une fille, qui m'emmène chez elle, et la fille m'appelle "mon petit marquis". C'est une Hollandaise qui parle bien le français OK et quand elle a terminé avec moi, vers deux heures du matin – ce sont des amours impossibles, j'ai dix-huit ans et la fille vingt-sept – je lui dis : "Je vais te raccompagner où tu vas." Elle me dit non. Et j'insiste. J'INSISTE. Mais je dois être tellement naïf, candide, qu'elle finit par accepter. Elle me demande de l'arrêter en bas de l'avenue Marceau. Et je lui réponds : "Laisse-moi t'arrêter là où tu vas." Elle éclate de rire et me dit, bon, tu prends le quai de New-York et je te dirai où t'arrêter. Devant le *New-Yorker*, elle me regarde comme ça : "Tu veux rentrer ?" Et je dis oui. (On trouvait de la place partout. Dans Paris. En voiture. A cette époque-là.) Je rentre, et je tombe sur un bar à hôtesses. La fille était hôtesse ! Le barman s'approche de moi et me demande ce que je bois. "Un coca-cola". Le type, j'ai cru qu'il allait s'étrangler de rire. Cinq minutes après, une femme est rentrée, en manteau de fourrure, porte-jarretelles, culotte et soutien-gorge. J'étais, comment te dire, un innocent chez les coupables. J'étais un INNO-CENT. Ce qui était séduisant pour eux c'est que je ne posais aucune question, je ne demandais à personne d'où ils venaient, pourquoi ils faisaient ce qu'ils faisaient, comment ils faisaient ou quoi que ce soit. Je ne posais pas de question. J'étais bien élevé, j'étais propre, j'étais à l'heure, on me donnait un rendez-vous j'y allais, j'étais disponible : je n'étais vraiment pas un étudiant.

Mon père devait se douter de quelque chose, parce que Régine avait une boîte au casino de Deauville qui s'appelait *Le Brummel*. Il y avait une porte qui donnait directement dans le casino, avec des couloirs qui menaient aux salles de jeu. J'avais quatorze ans, une nuit, à quatre heures du matin, mon père y descend avec un copain à lui. Il me voit, je sors le premier, il commence à me poursuivre en voiture, dans les jardins du Royal, jusqu'au poney club. Attention. J'entendais la voiture derrière moi. Ils m'ont cherché au moins quarante-cinq minutes. Ils voulaient un FLAGRANT DÉLIT. Ils ne l'ont pas eu, mais inutile de te dire que le lendemain, quand je me suis réveillé, il m'a regardé et il avait déjà compris à qui il avait affaire.

Gaston Chourki, le copain qui était avec lui ce soir-là, a perdu sa vie au casino – il est mort il y a deux ans, Dieu ait son âme. Un type formidable, il me racontait toujours cette histoire, et il la répétait aux gens avec qui j'étais. "Ah Gérard, Gérard !"

Il était persuadé que j'étais un type malin. Pourquoi ? Parce que je ne m'étais pas fait attraper ! Je suis pas un type malin parce que je suis pas un type MALIN. Vicieux mais pas malin. Et quand je dis vicieux, c'est pas pervers d'accord. »

L'église Saint-Sulpice sonna midi, réveilla Denise de sa somnolence, le jardin du Luxembourg se remplissait de poussettes soulevant les particules de poussière sèche de l'été. La jeune fille devait entrer à l'hôtel, ranger ses affaires, plier bagage. Elle avait rendez-vous le lendemain pour son long voyage tout autour de la France.

Son travail n'était pas compliqué : elle était le chauffeur de la tournée et accompagnait Bertrand-Quentin d'Aumal sur les lieux à photographier. Aurait lieu à l'automne une grande exposition à la galerie Merrosier ayant pour sujet *La France des ronds-points, cartographie d'un art giratoire.* Un art du laid, du kitsch et du dérisoire. Une des stagiaires du photographe avait déjà effectué un travail de repérages, Denise devait donc suivre un itinéraire très précis. Un tour de France, dans le sens inverse des aiguilles d'une montre. Elle était non seulement le pilote, mais devait aussi gérer l'intendance, les hôtels, les arrêts dans les restaurants ainsi que le matériel photographique. Cela, c'était la fonction de « régisseur ». Mais elle revêtait aussi une fonction « éditoriale » : elle devait enregistrer toutes les paroles, les pensées du photographe durant le séjour, pour la préparation du catalogue de l'exposition. Chaque soir, en arrivant à l'hôtel, elle était chargée d'envoyer à la maison d'édition qui s'occupait de l'ouvrage, les fichiers MP3, pour que les retranscriptions se fassent et ainsi avancer le travail éditorial. Elle était payée 750 euros net la semaine, pour un mois de reportage.

C'est grâce à sa mère que Denise avait obtenu le poste. La maison d'édition qui publiait le catalogue des ronds-points de France publiait aussi les poèmes de Daroussa. Et pour être en bonne relation avec son ayant droit, ils avaient trouvé ce job d'été à sa petite-fille.

Marguerite, l'assistante du galeriste, avait envoyé par mail l'itinéraire prévu, accompagné des descriptions des ronds-points à photographier, ainsi que des villes et des hôtels réservés. Denise et le photographe ne dormiraient pas dans les mêmes endroits. Denise écumerait le réseau Ibis, après avoir déposé Bertrand-Quentin d'Aumal à son Relais & Châteaux, pour revenir le chercher le lendemain matin.

Denise profitait donc pour une dernière nuit de sa chambre parisienne luxueuse, calfeutrée dans un confort indolent, elle feuilletait les itinéraires qu'elle allait suivre, les trajets qu'elle allait prendre, les dates, les feuilles de route. Pour le moment, une suite de chiffres, de noms de villes abstraits, mais qui se transformeraient bientôt en souvenirs. Bientôt, se disait Denise, elle ne penserait plus à Gérard Rambert. Tout cela serait loin derrière elle. Peut-être même, toute préoccupée par la typologie étrange des ronds-points de France et l'art giratoire, oublierait-elle l'année 1985.

Mais pour le moment elle ne pouvait pas s'empêcher d'y penser, et n'arrivait pas à dormir. « *On ne fouille pas dans la vie de ses parents.* » Cette phrase s'inscrivait en elle. Denise avait plusieurs heures de route le lendemain, et devait se lever dans quelques heures à peine. Alors pour se bercer, cette dernière nuit à l'hôtel des Arts, Denise mit en bruit de fond la fin de l'enregistrement, leur conversation du déjeuner, par moments inaudible, à cause du cliquetis des couverts sur les assiettes.

« Mon père m'a mis à cheval à deux ans et demi. Je faisais des reprises, du cercle et de la voltige sur des selles en peau de mouton avec des poignées. J'avais une très bonne copine de cheval – à l'époque c'était du poney –, la fille de Rita Hayworth et d'Aly Khan. Il paraît que lorsqu'elle me voyait, Rita Hayworth me prenait dans ses bras et me faisait des mamours. Mais je ne m'en rappelle pas ! Je me dis que, devenu adulte, ça a dû laisser QUELQUE CHOSE. Quand la sœur de mon père, qui a une poitrine monumentale, très sensuelle, est partie s'installer aux Etats-Unis, j'avais cinq ans. Je me rappelle clairement la façon dont elle m'a serré sur sa poitrine avant de prendre l'avion. C'est resté un souvenir indélébile. D'ailleurs, quand elle vient en France deux fois par an, je lui raconte toujours et elle éclate de rire. Ouais. Deauville à l'époque, c'était des villas les unes derrière les autres. Il n'y avait pas de feux rouges. Pas d'appartements, pas d'immeubles ni de studios. Il y avait une allée cavalière, sur le boulevard Cornuché. Et donc après tout, t'es Rita Hayworth, il y a un gosse qui fait du poney avec ta fille, il est mignon : tu le prends dans tes bras, t'oublies que t'es une vedette de cinéma mariée avec un prince ismaélien ! Bon. Je crois que j'ai eu une enfance très insouciante. Les choses dont je me rappelle… avec beaucoup d'acuité : dans la cuisine, la cuisinière au bois et au charbon qu'il fallait allumer tous les matins. J'étais réveillé à cause de la gymnastique. Et donc il y avait cette odeur de journal brûlé qui mettait le feu au petit bois, qui mettait ensuite le feu au charbon. C'est une vraie odeur. Pas celle du gaz ni de l'électricité. Ce souvenir se mêle aux cornes de brume des bateaux qui rentrent – et il y avait toujours du brouillard le matin. La grasse matinée n'existait pas, on se levait, petit déjeuner, gymnastique, club des canards. Le club des canards ! Monsieur Collin, MONSIEUR COLLIN, comment est-ce possible des trucs pareils, je sais pas. Monsieur Collin au club des canards. Meeeeerde ! »

Les rêves de Denise s'étaient teintés des paroles de Gérard, comme lorsqu'on écoute les informations, le matin à la radio, et que les nouvelles du jour se mêlent aux images de la nuit. Elle se disait que ses parents ne lui avaient jamais fait faire du poney ni du piano. Patrice aimait à dire que la rudesse de ses parents, le cadre de son enfance, avaient fait de lui un être libre – parce que libre de s'en défaire. Denise trouvait dommage qu'il n'ait pas reproduit la même éducation avec eux. Elle aurait aimé porter un petit tutu rose et un chignon tiré au sommet du crâne, à l'âge où ses parents lui faisaient improviser des chorégraphies sur *Riders on the Storm*.

Denise devait quitter l'hôtel avec ses bagages, pour prendre le break chez le galeriste de Bertrand-Quentin d'Aumal, qui l'attendait à huit heures précises.

Jean-Philippe Merrosier habitait un grand loft place Dauphine. Il accueillit Denise revêtu d'un peignoir gris et brillant, chaussé de pantoufles volées dans un palace américain. On entrait directement dans la cuisine, puis dans une grande pièce avec un sol en béton ciré. Il était difficile de dire s'il s'agissait d'un salon ou d'un bureau, tant la pièce était nue. Une grande baie vitrée donnait sur un mur végétal et un jardin zen à la japonaise, dans des tons noirs, blancs, gris et verts, accordés au mobilier intérieur. Sur les murs, des œuvres qui, pour la plupart, étaient dédiées à Jean-Philippe Merrosier, dont beaucoup de portraits de lui. Pas un seul livre, ni même un catalogue d'art. Jean-Philippe Merrosier était un homme de petite taille, avec une grosse tête légèrement disproportionnée par rapport à son corps. Un corps d'enfant, presque imberbe, dissimulé sous des costumes mal coupés, pourtant taillés sur mesure dans des matières trop luisantes. Les cheveux noirs, il portait une frange qui tombait sur des yeux légèrement globuleux. Et puis il avait cette façon lasse de vous parler, comme s'il économisait ses forces pour des choses plus importantes que de s'adresser à vous. Merrosier donna à Denise les dernières instructions pour le voyage, lui demanda quelques minutes pour finir de s'habiller, avant de l'accompagner au garage, lui préciser quelques détails sur le fonctionnement de la voiture.

Après le départ de Denise, Jean-Philippe Merrosier envoya un message à son artiste pour le prévenir que la stagiaire envoyée par la maison d'édition, avait non seulement vingt-deux ans mais de très beaux seins et un visage de vierge qui réclamait la bite. En voyant Denise, Bertrand-Quentin d'Aumal comprit la blague, et une immense déconvenue s'abattit sur son visage. Ses yeux changèrent de couleur.

Néanmoins il prit un air décontracté pour entrer dans la voiture, ce qui lui fut difficile. Denise s'approcha pour lui faire la bise, mais il se recula légèrement pour lui tendre une main propre dont les ongles manucurés contrastaient avec les quelques poils noirs disséminés sur ses phalanges.

Denise démarra la voiture, direction porte de Neuilly, et l'autoroute A14 vers Rouen. Ils avaient deux heures de trajet, à peine, pour arriver à leur premier rond-point sur Barentin.

Bertrand-Quentin d'Aumal avait la petite cinquantaine, les tempes légèrement grisonnantes sur une chevelure noire impressionnante. Il se trouvait bel homme et ne portait, exclusivement, que des T-shirts noirs *Armani*, des jeans *Levi's* portés très hauts, serrés par une ceinture noire presque au niveau du nombril. Ce qui faisait légèrement apparaître la bosse de son sexe. Il sentait parfois un peu fort de la bouche, surtout aux approches du déjeuner et du dîner. Ses mains n'avaient pas travaillé depuis plusieurs générations. Pendant la première demi-heure où Bertrand-Quentin d'Aumal resta silencieux, il se demanda comment réussir à se venger de son galeriste, de l'ennui d'être enfermé aux côtés d'une fille plate et aussi mal habillée. Comment était-il possible qu'une telle chose arrive à un type comme lui ? Pourquoi son galeriste lui avait-il fait un coup pareil ? Lui qui choisissait toujours avec soin ses assistantes. Mais c'était la maison d'édition qui envoyait Denise, et qui avait, de toute évidence, d'autres critères de recrutement du personnel.

Denise devait s'habituer à la conduite automatique, elle n'avait jamais été au volant d'une aussi grosse voiture, incroyablement silencieuse. Au bout d'une demi-heure, Bertrand-Quentin d'Aumal, qui n'avait pas l'habitude de parler si peu, se lança dans la conversation.

— Vous fumez ?

— Non.

— Tant mieux, je déteste l'odeur de la cigarette. Cela me dégoûte. Par exemple, je ne peux pas regarder, je ne dis même pas « envisager », je dis seulement « regarder » une femme, si je vois qu'un paquet de cigarettes est posé à côté d'elle. J'ai même dû me séparer d'un assistant que j'adorais – Charles, il était extrêmement doué quoique peu original – parce qu'il s'était remis à fumer après trois ans d'abstinence. Il avait perdu sa fiancée – une conne – dans le tsunami – une histoire horrible, vraiment – eh bien j'ai dû m'en séparer à cause de l'odeur du tabac. Par exemple, si vous m'aviez répondu oui, je fume – et même occasionnellement, même une seule cigarette par jour –, je vous aurais dit de faire immédiatement demi-tour pour rentrer à Paris.

Denise ne savait pas trop quoi répondre. Le type commençait presque à l'engueuler, à la seule idée qu'elle aurait pu être fumeuse.

— Alors comme ça vous êtes la petite-fille de Daroussa ?
— Oui. C'était le père de ma mère. Mais je ne l'ai pas connu. Il est mort peu après ma naissance.
— Mais vous avez quel âge ?
— J'ai vingt-deux ans.
— Ah tiens. Je vous en aurais donné, je sais pas, trente. Vous faites plus mûre que votre âge.
— Merci.
— Oh vous précipitez pas, je ne sais pas encore si c'est un compliment. Et vous avez votre permis depuis combien de temps ?

— Depuis six ans, j'ai fait la conduite accompagnée.

— Oui, c'est bien ça, statistiquement c'est plus sûr. Vous en pensez quoi, de votre grand-père ? Vous avez des œuvres de lui, chez vous ?

— Non, il a tout vendu de son vivant. Et puis ma mère aussi a vendu les quelques croquis dont elle avait hérité. Il me reste seulement une gravure.

— Laquelle ?

— Le portrait d'une femme espagnole.

— Mais vous en pensez quoi, de son œuvre ?

— Je ne sais pas, je ne connais pas bien la peinture. Je crois que c'était un grand artiste, très reconnu. Mais moi, je n'ai pas d'avis particulier.

— Eh bien dis donc. Vous êtes l'héritière d'un des plus grands artistes de la seconde moitié du XXᵉ siècle, d'un des types qui m'auraient donné envie de peindre si je n'avais pas fait de la photographie, et vous n'avez pas « d'avis particulier » ? Quand on m'a dit que ma stagiaire était la petite-fille de Daroussa, je me suis réjoui. J'ai pensé à des longues conversations, enrichissantes, passionnantes, que nous pourrions avoir ensemble pendant ces quatre semaines. Alors de quoi on va parler ?

Là encore, Denise ne savait pas trop quoi répondre. Et puis il fallait qu'elle se concentre, à cause de la conduite sur l'autoroute qu'elle n'aimait pas. Elle pensait à sa mère, qui l'avait pistonnée auprès de la maison d'édition pour effectuer ce boulot. Elle se demandait où Matilda pouvait bien être à cet instant. Elle se promit de l'appeler en rentrant, ce soir, à l'hôtel, tout en sachant qu'elle ne le ferait sans doute pas. Un « geste invisible », une intention vaine. La vie de Denise était ponctuée d'intentions formidables qu'elle se projetait de faire – mais ne réalisait jamais. Ces mouvements intérieurs revêtaient toutefois un caractère réel, et Denise en ressentait les bénéfices imaginaires. Penser appeler sa mère lui était suffisant. Elle avait songé à le faire, et c'était comme si c'était fait. Mais Bertrand-Quentin d'Aumal lui reposa la question et Denise fut prise d'une légère panique.

— Alors de quoi on va parler ?
— Je ne sais pas… de ronds-points.
— Ah tiens, de ronds-points. Eh bien allez-y, parlez-moi de ronds-points.

Le volant de la voiture devint humide à cause de la sueur de ses mains. Denise eut peur que sa vue ne se trouble, il ne fallait pas qu'elle se trompe d'itinéraire, dans quarante-cinq kilomètres, prendre la sortie A13, continuer sur l'A139 et suivre les panneaux Les Essarts/Rouen. Et puis il y avait cette légère sonnerie, un bip aigu et idiot, qui se faisait entendre pour la seconde fois, une sorte d'avertissement doux, mais le galeriste, en lui laissant la voiture, ne l'avait pas mentionné.

— Eh bien, se lança Denise, nous allons à Barentin, à l'entrée de la zone commerciale, vous allez photographier une statue de la Liberté, de presque quatorze mètres de haut, réalisée en polyester, célèbre parce qu'elle fut offerte à la ville par le réalisateur Gérard Oury, qui l'avait fait construire pour son film *Le Cerveau*. De nombreuses statues de la Liberté ornent les ronds-points de France, dont une à Colmar, que nous photographierons à la fin du séjour.

A ce moment-là, Bertrand-Quentin se mit à ronfler très fort : c'était sa manière de lui signifier qu'il s'ennuyait. Alors Denise se tut pour ne pas trahir les sanglots qui montaient dans le fond de sa gorge. Mais une chose lui donna du courage : le bip intrusif avait cessé.

— Oh ça va ! C'est de l'humour. Je vous préviens moi je ne peux pas travailler avec quelqu'un de susceptible. C'est impossible. Ou sinon, demi-tour Paris, je vous préviens. « *Ah mon petit Armstrong-Jones, il fallait pas faire de la photographie !* » Vous connaissez ?
— Non.
— Oh mais elle connaît rien alors ! Vous êtes pas une marrante, vous. Bon, vous avez bien appris vos fiches de route, c'est très bien je vous félicite, mais c'est pas comme ça que vous allez vous sensibiliser à l'art et à la photographie. On n'est pas à l'école vous savez ! Bon ben, dites-moi ce que vous pensez de mes photographies alors. On commencera déjà à parler de quelque chose.

— Excusez-moi, mais, il faut que je me concentre pour ne pas rater la sortie.

Bertrand-Quentin se mit à rigoler, ce petit rabrouage venant de sa stagiaire lui avait vraisemblablement bien plu.

— Oh pardon ! Je ne voulais pas vous déconcentrer dans votre travail.

— Nous allons arriver d'ici vingt minutes, si vous souhaitez commencer à vous préparer.

Bertrand-Quentin d'Aumal prit ses appareils, les manipula avec une précaution et une précision épuisantes à observer – il devait en avoir apporté au moins une dizaine. Pendant ce temps, ils traversèrent la zone commerciale de Barentin, un long bâtiment de fausses briques rouges, une façade dont les verrières en plexiglas mal lavées teintaient d'un filtre morose les cyclistes de Décathlon. Puis ils longèrent un immense rectangle de tôles aux couleurs rouge, noire et blanche de Darty. Et un rubik's cube géant, aux couleurs de l'arc-en-ciel, évoquait les échantillons de moquettes de Saint-Maclou. Tous ces logos commerciaux offraient un défilé de couleurs franches, vives, connues à la rétine.

Elle apparut, sur son terre-plein en pelouse, rond-point nommé « carrefour de la Liberté ». Etrange et triste, elle s'élevait avec panache, cette statue de la Liberté retenue par des fils de fer, reliés au sol par quatre blocs rectangulaires, recouverts d'une mousse sombre. Couleur gris pierre, elle vous regardait drôlement, depuis son promontoire végétal. Presque aussi haute qu'elle, dans son horizon, une autre reproduction géante, du logo Carrefour, rivalisait sur sa droite. De l'autre côté, sur sa gauche, un baraquement bleu proposait de la literie familiale, et une pancarte « FONISTO » immense, en lettres bâton blanches sur fond rouge barbecue, invitait à quelque chose, mais on ne savait pas quoi.

Bertrand-Quentin d'Aumal était content, parce que la lumière était bonne. Il s'installa avec tous ses appareils face à la statue. Il y en avait huit ou dix, sans compter les objectifs, de différentes tailles, certains numériques, d'autres argentiques, dans un bordel de boîtes en plastique, de housses molletonnées et de boîtiers. Denise s'étonna de ce que Bertrand-Quentin photographiait au flash, étant donné l'intense lumière de ce jour d'été. Il s'était installé en face de la statue, avec, au premier plan, le carré fleuri de la pelouse, surplombée d'un palmier nain. Au loin dans le ciel, l'insigne jaune et rouge de McDonald's faisait écho à la flamme de la Liberté.

Il demanda à Denise de rester dans la voiture, pour garder les affaires, et parce que Bertrand-Quentin d'Aumal n'aimait pas qu'on l'observe en train de travailler. « Ça me gêne, disait-il, un peu comme si vous vouliez rentrer dans ma salle de bain pendant que je me lave. »

Au bout de trois quarts d'heure, il revint dans la voiture. Il donna à Denise des bobines de films qu'elle devait soigneusement annoter et ranger dans des pochettes. Puis ils commencèrent l'enregistrement audio de ses impressions sur la séance qui venait d'avoir lieu.

Bertrand-Quentin d'Aumal parla longuement de l'inscription de l'art urbain dans l'histoire de la photographie, du fantasme sculptural populaire, du signifiant et du signifié, des oasis du bitume et du ventre de sa mère, comme de la première chambre photographique. Du vagin, à l'image du diaphragme qui s'ouvre et qui se ferme pour laisser passer la lumière. De l'irruption du numérique, qui dérange ce rapport organique et sensuel à l'appareil photographique. Des Allemands, qui comprenaient mieux son travail que les Français. Bertrand-Quentin continuait de parler, ils étaient déjà arrivés depuis cinq minutes au « rond-point des Vaches » d'Oissel à côté de Rouen et Denise ne savait pas comment lui couper la parole pour lui indiquer qu'ils étaient à destination. Elle finit par lui faire un signe, pour lui montrer la grosse vache luisante, blanche et marron, dans une matière plastique, qui broutait la pelouse circulaire située derrière lui. Bertrand-Quentin se retourna face au rond-point désert, à la pelouse jaunie par touffes irrégulières sur laquelle erraient quatre vaches moroses, perdues dans ce terrain vague.

Bertrand-Quentin pesta, ce rond-point n'avait aucun intérêt photographique, rien à en tirer, les proportions n'étaient pas les bonnes.

Il leur restait deux cents trente kilomètres à parcourir jusqu'au prochain rond-point, près de Cherbourg, soit presque deux heures trente de route, mais Bertrand-Quentin ne voulait pas s'arrêter pour déjeuner. « Jamais de déjeuner. » C'était, disait-il en se frappant l'estomac, le secret de sa forme physique.

— Est-ce que je peux vous poser une question ? demanda-t-il.

— Oui.

— Une question personnelle je veux dire.

— Oui, mais dans ce cas-là il faudrait arrêter l'enregistrement.

— Parce que voilà, je vous regarde conduire, je n'ai pas grand-chose d'autre à faire, vous êtes dans mon champ de vision, et donc je vois vos mains sur le volant, et je me demande si vous vous rongez les ongles ?

— Vous voulez vraiment pas éteindre l'enregistreur ?

— Parce que j'ai une sorte de phobie des ongles rongés, cela peut me provoquer des petites « panic attacks » comme on dit.

— Je vous rassure, pas du tout, je me ronge pas les ongles, jamais.

— Mais, vous les soignez de temps en temps ?

— Je ne sais pas... je les coupe.

— Par exemple, la dernière fois que vous avez fait une manucure...

— J'en ai jamais fait.

75

Quand elle était petite, Zizi avait l'habitude de lui dire « *Deniss, tu as les ongles en deuil* » avant de lui indiquer le savon et le lavabo. Les ongles de Denise recouvraient presque toute la dernière phalange, ils n'étaient ni ovales ni bombés, mais plutôt ronds, et la peau du bout des doigts dépassait dans une légère boursouflure. Ses mains étaient longues, comme ses poignets, dont la finesse était rehaussée par la boule de l'os, qui ressortait extraordinairement. Bertrand-Quentin se mit à pousser un petit cri. Et puis une sorte de grimace.

— Excusez-moi mais ça me dégoûte et ça m'excite un peu à la fois. On peut continuer d'en parler, ça ne vous dérange pas ?

— Non, mais... là ça enregistre notre conversation.

— Donc vous n'avez JAMAIS fait de manucure de votre vie ?

— Non.

Bertrand-Quentin se remit à pousser un petit cri.

— Jamais ?

— Non, jamais.

— Et j'imagine pédicure...

— Non plus.

— Ça me dégoûte.

— Enfin si, une fois je suis allée chez un podologue...

— Ah non, je vous arrête tout de suite, vos maladies vous les gardez pour vous sinon je vais vomir. Moi ce qui m'intéresse c'est tout ce qui touche l'hygiène corporelle. Rien d'autre. Non. Merci. Alors je vais vous poser une question.

Dans le silence, Denise se demanda comment éteindre l'enregistreur, mais elle avait peur de lâcher le volant.

— Est-ce que, lorsque vous rencontrez quelqu'un, vous lui dites exactement ce que vous pensez ? Je vous donne un exemple : vous rencontrez un garçon très très laid, et ce garçon vous propose d'aller dîner avec lui. Est-ce que vous lui répondez : non, tu es trop laid pour que je sois vue en ta compagnie. Ou : non, je suis désolée, je dois m'occuper de ma mère qui habite en banlieue, elle est très malade et je suis prise tous les soirs auprès d'elle. Répondez. L'un ou l'autre. Pas de choix alternatif possible.
— Je lui dis que je vais dîner chez ma mère.
— Très bien. Vous maquillez donc votre pensée, n'est-ce pas. Vous l'arrangez de l'artifice du mensonge, pour ne pas blesser le garçon. C'est le principe de la vie sociale, non ? Sans artifice, pas de civilisation.

Denise sentait son ventre avoir faim, et menacer de surgir des bruits de faim.

— Eh bien mademoiselle, l'hygiène corporelle, c'est la même chose. Surtout venant d'une femme.

Vous ne pouvez pas vous présenter au monde telle que votre mère vous a faite, c'est une atteinte à la civilisation. Ce n'est pas une question de classe sociale voyez-vous, c'est une question de culture. Ce qui est très différent. Mais une femme qui ne soigne ni ses mains, ni ses pieds – et je ne parle pas du reste –, c'est un enfant sauvage. Et personne n'a envie d'aimer un enfant sauvage, ça c'est dans la littérature. Moi, la première chose que je regarde, chez une femme comme chez un collectionneur c'est : les ongles et les chaussures. Et je sais immédiatement à qui j'ai affaire.

Denise n'avait pas envie de répondre. Elle trouvait ses paroles insultantes. Personne ne lui avait jamais dit ce qu'elle devait faire de ses ongles, ni son père, ni sa mère. A ce moment, son ventre se mit à gargouiller très fort, à cause de la faim et de la contrariété.

— Nous allons nous arrêter pour que vous puissiez vous acheter quelque chose à manger. Mais enfin, vous auriez dû me dire que vous aviez faim. Je vous fais peur ou quoi ? Tenez, là, couteaux fourchettes à cinq kilomètres.

Denise revint dans la voiture avec un sandwich au thon légèrement nappé d'une mayonnaise industrielle colorée au paprika, un paquet de Pringles et une bouteille de coca light. Bertrand-Quentin lui demanda de déjeuner à l'extérieur de la voiture à cause des odeurs. Puis, à travers la fenêtre ouverte, il se mit à parler de la nourriture biologique, de la médecine chinoise basée sur les aliments naturels, qui lui avaient sauvé sa vie et son ulcère, sa pratique du chi-kong, celle d'embrasser les arbres, sa passion pour les haïkus, les vins sans sulfate et les massages ayurvédiques. Denise ne faisait même plus attention à ce qu'il lui racontait, ça tournait dans sa tête.

Ils reprirent l'autoroute de Normandie. Sur le panneau de signalisation bleu roi, avant Caen et Le Havre, il était inscrit cette destination « La Maison Brûlée » et Denise y vit comme un signe de mauvais augure. Heureusement ils bifurquèrent sur l'E46 et les risques d'incendies disparurent derrière eux.

Treize kilomètres avant Cherbourg, sur la départementale 167, ils arrivèrent à Sottevast, pour découvrir le « rond-point des Cruches ». « *Vous pensez qu'on va y trouver des bonnes femmes ?* » demanda Bertrand-Quentin d'Aumal en rigolant.

Ils suivirent d'abord une route bordée de maisons individuelles, certaines en pierres, d'autres aux façades de crépis, recouvertes d'une teinte pastel rose pâle. De larges volets en bois sombre, des fenêtres obscurcies par de lourds rideaux, protégeaient les mystères des vies qui se jouent derrière ces pavillons, cachées par les murets en pierres et des haies boisées.

En dépassant le panneau « La Laiterie, commune de Sottevast », ils aperçurent une forme métallique incertaine, une sorte de portemanteau géant à trois branches argentées, brûlant sous le soleil de l'été.

Il était déjà presque seize heures, Denise et Bertrand-Quentin ne devaient pas trop traîner avant de repartir plus au sud.

En s'engageant sur le rond-point, laissant passer un de ces camions blancs tatoués de deux cercles bleus entrelacés, se dessinèrent devant eux les trois cruches cylindriques, flottant magiquement dans l'air et déversant leur lait dans un immense pot de pierre, au milieu d'une pelouse d'où émergeaient, de-ci de-là, quelques touffes végétales encerclées de gravier.

Contrairement au rond-point des Vaches, Bertrand-Quentin semblait satisfait de son sujet.

Il s'installa, avec tout son matériel. La séance dura bien plus d'une heure. Il ne fallait pas traîner, ils devaient se rendre, quatre heures plus tard, pour le coucher du soleil, à La Haye-Fouassière. Denise récupéra le matériel, le rangea dans les différentes pochettes suivant les destinataires, et remis en marche l'enregistreur pour les impressions de Bertrand-Quentin sur les photographies du rond-point des Cruches. Le monologue concernait cette fois-ci la poésie des ronds-points inutiles, celle des ronds-points laissés à l'abandon, la spécificité française de cet art giratoire, la fascination des Français pour la laideur, de façon générale, le symbole du mariage incestueux entre art et politique. Quand le flux se tarissait, Bertrand-Quentin demandait si Denise trouvait ses propos intéressants, et si oui, lesquels l'avaient le plus intéressée et pourquoi. Après Rennes, arrivés sur l'A84, Bertrand-Quentin installa son siège en position couchette, sortit des lunettes en tissu, comme celles que l'on donne dans les avions, et il s'endormit jusqu'à la fin du voyage.

Vers neuf heures du soir, ils arrivèrent à La Haye-Fouassière, pour leur objectif final de la journée, le « rond-point de l'Espace », qui surgit sur la départementale 149, au bout de la « route de l'Espace ». Une soucoupe volante blanche et noire, s'illumine au coucher du soleil. Autour d'elle, s'apprêtent à monter des spationautes, prêts pour un voyage intergalactique, emportant chacun dans leurs bras une bouteille de muscadet, un petit-beurre LU et un gâteau étoilé. Trois spécialités de la ville en partance pour l'espace. De petits murets de briques encerclent la soucoupe, sur lesquels on peut lire en lettres majuscules et blanches LA HAYE-FOUASSIÈRE. A la tombée de la nuit, l'ovni s'illuminait de lumières roses et bleues. Et c'est cet instant précis que voulait capter Bertrand-Quentin d'Aumal.

Bertrand-Quentin d'Aumal semblait très excité, il avait eu, disait-il, « *ce qu'il voulait* ». Pendant le trajet vers Nantes, où Denise devait le déposer dans son hôtel de charme, il parla en détail de sa lecture de Jules Verne, *Le Rayon vert*, comme l'un des piliers de sa vocation de photographe, de son goût pour la littérature de science-fiction, de *2001 l'Odyssée de l'espace*, qui n'était selon lui qu'une mauvaise adaptation du roman, et de Kubrick en général, qu'il trouvait « surestimé ».

En le voyant descendre de la voiture pour rejoindre son hôtel, Denise ressentit un immense soulagement. Ses muscles se décontractèrent, sa mâchoire aussi. Elle respira profondément. Elle ne l'avait rencontré que quelques heures auparavant, mais elle avait l'impression que Bertrand-Quentin d'Aumal s'était immiscé dans sa vie depuis de longs mois, et pour une durée qui lui paraissait inimaginable.

Elle se mit en quête de son hôtel Ibis, s'arrêta en chemin dans une supérette ouverte miraculeusement après dix heures du soir, acheter des Petits Gervais et un taboulé pour son dîner, des bouteilles de coca et un sandwich au poulet pour son déjeuner du lendemain.

Sa chambre était bien différente de celle de l'hôtel des Arts où elle avait dormi la veille. Heureusement, le lit n'était pas grand. Denise n'aurait pas peur en s'endormant. Tout semblait très léger, depuis le faux bois du bureau sous la fenêtre, le tissu des rideaux vert pastel qui sentait fort la poussière, la lampe de chevet assortie aux rideaux, la chaise pliante au dossier en mousse, jusqu'au mince couvre-lit rouge et vert qui semblait faire aussi office de couverture, malgré la finesse de la laine.

De nouveau, Denise sortit les derniers négatifs, qu'elle rangea soigneusement dans leurs boîtes, puis dans des enveloppes étanches numérotées, où elle inscrivit le jour, le nom de la ville où ils étaient arrêtés, et le sujet du rond-point. Toutes ces enveloppes devaient partir le lendemain matin directement au labo de développement en Belgique. Elle récupéra ensuite les puces des appareils numériques, pour les transférer, via l'ordinateur portable que lui avait confié le galeriste, sur des CD vierges, qu'elle devait faire parvenir à Hugues, le directeur artistique du catalogue. Enfin, elle envoyait les fichiers audio sur le serveur FTP de Marjolaine, l'assistante du chef éditorial, qui se chargerait tous les jours des retranscriptions.

Tout ce travail lui prit au moins une heure et demie, mais elle pensa qu'avec l'habitude, elle réussirait sans doute à optimiser son rendement.

Au moment de défaire ses bagages et de prendre sa douche, Denise abandonna ces projets, s'allongea toute habillée sur son lit, au milieu des enveloppes, des boîtes de négatifs et des courses du supermarché.

Denise repensait à Paul-Antoine en regardant le plafond en crépi de sa chambre. Il y avait une tache à un endroit, un amas circulaire d'insectes collés dans le mortier. Peut-être aurait-elle dû insister auprès de Paul-Antoine, se disait-elle. Elle se souvint qu'il s'était mis à transpirer, en évoquant sa première rencontre avec Patrice. Ce n'était pas la première fois qu'elle croisait par hasard un amant de son père. La première fois fut la plus violente.

C'était l'année du bicentenaire de la Révolution française, Zizi et Matilda avait trouvé refuge chez un vieux collectionneur d'art qui habitait un hôtel particulier entre le quartier des Abbesses et Montmartre. Denise avait neuf ans, elle se souvenait avoir été choisie par la maîtresse pour jouer le rôle de « la Bastille » à la fête de l'école. Le seul rôle « non humain » de la distribution. Le type chez qui elles s'étaient installées était vieux, hypocondriaque et avare, mais il n'était pas mécontent de loger sous son toit la fille et la belle-sœur du grand peintre Daroussa dont il possédait des œuvres, quelques semaines avant sa première grande rétrospective au Palais de Tokyo. Il lui fallait certaines approbations d'expertises, ainsi qu'un appui moral des principaux ayants droit, dont Matilda et Zizi. Zizi se moquait bien de la peinture et de toutes les croûtes de Daroussa qu'elle tenait pour un bouc endimanché. Matilda était l'héritière directe, bien qu'elle n'ait vécu avec son père que jusqu'à l'âge de deux ans. Elle avait ensuite été mise en pension dans une famille de paysans espagnols, la même famille qui avait nourri Daroussa au sein, et qui fut l'inspiration de certaines de ses toiles connues sous la série « Campagne ». Matilda avait donc grandi loin du grand peintre de génie. Et loin de sa mère, un mannequin cabine de chez Balmain surnommée « Ange » qui s'était fait engrosser par le maître, de quarante ans son aîné.

Matilda apprit l'accident cérébral de son père par la directrice de l'école, qui elle-même l'avait lu

84

dans les journaux. C'était en 1966, le maître était en partie paralysé. Sans les journaux, personne n'aurait songé à prévenir la petite fille, devenue une authentique paysanne espagnole. Les frères et sœurs aînés, nés de premiers mariages, ne voulaient pas même entendre parler de la petite fille élevée loin de Paris ; elle n'existait pas. Le mannequin cabine avait refait sa vie – ou plutôt l'avait commencée – avec un autre homme, à qui elle donna trois enfants. Matilda fut abandonnée dans sa campagne espagnole comme un objet oublié en vacances, que l'on projette de retrouver, mais auquel on finit par renoncer.

Quand Matilda décida en 1978, à l'âge de vingt ans, de venir vivre à Paris, retrouver sa place auprès de sa mère et de sa nouvelle famille, c'était une pouilleuse venue d'un pays sous-développé. Seuls ses papiers d'identité portaient le sceau de la France. Daroussa, très amoindri depuis son accident, vivait sous tutelle de sa dernière femme, une Allemande prénommée « Beate » dont Zizi affirmait qu'elle avait été un des fleurons de la jeunesse hitlérienne.

Personne, ni Beate, ni Ange, ne souhaitait le retour de cette enfant noire, à la peau épaisse et aux cheveux hirsutes.

On lui donna l'adresse de sa tante Zizi, jeune veuve d'une trentaine d'années, une « excentrique » qui vivait seule dans un appartement délabré de la rue Lepic.

Thérèse Beteau, dite Zizi, avait épousé le petit frère du peintre. Le petit frère adoré, à qui elle n'avait pas fait d'enfants, mais épuisé jusqu'à la mort.

Zizi vit arriver l'Espagnole avec horreur, mais en raison d'un snobisme qui dépassait la raison, elle accepta de la loger chez elle quelques jours. Qui se transformèrent en semaines, puis en mois. Zizi détestait fermement ses neveux et nièces, les premiers enfants, ceux d'avant Matilda, dont certains étaient plus vieux qu'elle. Elle possédait donc dans la personne de Matilda un moyen sûr de les emmerder jusqu'au bout, car elle entreprit de faire reconnaître à cette dernière son droit moral sur les œuvres du génie, dont les aînés avaient soigneusement omis de signaler l'existence aux experts.

Matilda ne comprenait rien à tout cela. Simplement heureuse d'être enfin aimée par une Française, la première de sa famille, bien qu'il s'agisse d'une pièce rapportée, elle l'aurait suivie comme un bon chien. Et puis elle ne parlait presque pas un mot de français, mais dans son immense fierté d'en avoir la nationalité, elle faisait croire à tout le monde qu'elle comprenait parfaitement ce qu'on lui disait. Matilda avait développé une extraordinaire capacité à deviner, par l'attitude, l'expression et les modulations de la voix, les grandes lignes du sujet de son interlocuteur. Elle écoutait beaucoup, sans comprendre un véritable mot, très concentrée sur son partenaire. Elle acquiesçait d'un geste de la tête, plaignait l'autre d'une moue triste, et prenait un air adéquat à chaque situation. Suivant que le débit était lent ou saccadé, suivant l'intensité du volume de la voix, les ruptures d'intonation, les accents ironiques ou insistants, Matilda parvenait à comprendre, non le propos, mais les intentions de son interlocuteur – et cela suffisait à faire d'elle la confidente idéale.

Denise avait hérité de sa mère cette pantomime du visage, ces grimaces compatissantes, qui encouragent les gens à se confier très longuement à vous.

L'année du bicentenaire de la Révolution française donc, Matilda, Zizi et les enfants s'installèrent chez ce vieux collectionneur de l'œuvre de Daroussa. Matilda avait affiché dans les toilettes une planche photographique en noir et blanc, une série prise pour un casting de Patrice, il y portait une vieille casquette façon Gavroche. Un mercredi après-midi, un type que les enfants n'avaient jamais vu auparavant sortit des toilettes du collectionneur, en se marrant. Il parlait fort et fit un commentaire sur la présence des photographies de Patrice Maisse dans les toilettes, avant d'ajouter qu'il se l'était « tapé » quelques années auparavant.

Denise ressentit quelque chose de froid à l'intérieur d'elle et comprit, à neuf ans, en une seule seconde, tout ce que cela voulait bien dire. Ce fut la première fois. Il y en eut d'autres.

Denise se réveilla presque toute habillée, cinq minutes avant que le réveil ne se mette à sonner. A 00 h 47, elle avait reçu sur son téléphone un message de Bertrand-Quentin d'Aumal : « faire penser à Assemblée générale. »

Après avoir déposé toutes les enveloppes à la

poste, fait le plein d'essence, elle prit le chemin de l'hôtel de Bertrand-Quentin. Ils avaient rendez-vous dans le hall à neuf heures trente, mais elle vint un peu en avance, afin de payer la note et le room service.

Bertrand-Quentin d'Aumal sortit de l'ascenseur, habillé exactement comme la veille, mais, contrairement à Denise, avec des habits propres et repassés. Ils avaient deux heures de route avant d'arriver à Surgères, première destination de la journée, qui promettait d'être longue, tant la Charente-Maritime regorgeait de ronds-points à photographier.

Sur l'avenue Jean-Claude-Bonduelle, il expliqua à Denise que sa famille, elle aussi, était à la tête d'une entreprise dont les membres possédaient cent pour cent des parts. Il siégeait au conseil d'administration, dans le fauteuil de son père, qui avait été un immense PDG, respecté par ses employés. Mais n'avait pas voulu reprendre les fonctions, ayant choisi, dès son adolescence, de devenir un artiste. C'est son oncle, qui, actuellement, était vice-président général, et sa sœur, ainsi que ses cousins, se partageaient les postes de direction de la communication, direction des ventes et autres. D'ailleurs, il lui avait laissé un message pendant la nuit, parce que ça bardait à l'assemblée générale, et Denise avait oublié de le lui rappeler. Mais Bertrand-Quentin d'Aumal n'avait plus de chargeur de batterie à son téléphone, il l'avait oublié chez lui en faisant ses bagages. Denise fut chargée d'aller en acheter un au prochain arrêt.

Dans la voiture, Bertrand-Quentin d'Aumal sortit des notes, qu'il avait prises la veille sur le papier à lettres de l'hôtel, mit en marche l'appareil enregistreur qu'il colla devant sa bouche, et commença un nouveau monologue, qu'il intitula « notes pour une préface » et dont le sujet principal était sa définition de la photographie.

Heureusement, ils arrivèrent assez rapidement devant *La Main de Ronsard*, une sculpture monumentale coulée dans un bronze qui tirait vers le noir. D'une largeur de quatre mètres, elle était tranchée au début du poignet, laissant dépasser une manche de chemise bouffante. La main tenait une plume géante, dans un marbre blanc. Ils n'étaient pas les seuls à s'intéresser au poétique rond-point de Surgères, puisqu'une famille de touristes hollandais en cirés s'était arrêtée sur le bas de la route pour poser devant l'œuvre. « *Ronsard me célébrait du temps que j'étais belle* », gravait la plume dans le marbre.

Bertrand-Quentin d'Aumal envoya Denise en ville, chercher un chargeur de BlackBerry « new touch » ainsi qu'un embout capable de se brancher sur l'allume-cigare.

La Tremblade est une de ces petites villes de bord de mer, aux immeubles soixante-dix d'un blanc sel.

Rue du Lavoir, Denise devait prendre la direction de Ronce-Marennes, pour trouver le centre-ville et un magasin de « téléphonie moderne » – ce qui se trouve aujourd'hui sans difficulté même dans les bourgades les plus reculées.

La rue principale du centre-ville frissonnait d'une légère excitation estivale. Perdue, Denise demanda de l'aide à un couple aux cheveux ras, pantacourts et T-shirts de sport. Seules leurs chaussures permettaient de distinguer l'homme de la femme. Elle portait une paire de Crocs vertes et des socquettes, lui des Birkenstock marron, sans chaussettes. Ils lui expliquèrent comment trouver la rue Pasteur, en passant devant chez Roudoudou, le magasin de jouets pour enfant, dont la façade délavée représentait le visage passé d'un gros pou-pon blond souriant devant des coquillages. Puis elle tournerait au niveau de chez Coup'Tif – coiffure mixte, coiffeur visagiste – et là, dans la rue Pasteur, elle trouverait « L'Elton Phone » en face du magasin de vêtements pour dame « La Nou-velle Génération ».

Munie du chargeur de batterie, Denise toqua à la fenêtre, pour se signaler, en arrivant à la hau-teur du photographe.

Elle fut surprise de voir un sourire se dessiner sur le visage de Bertrand-Quentin. Il lui fit presque peur.

Elle lui montra le matériel acheté : Bertrand-

Quentin d'Aumal allait pouvoir lire ses mails, écouter ses messages de la matinée.

Pour la première fois depuis le début de leur voyage, une sorte de bien-être s'installait dans la voiture, ils se sentaient bien, ensemble, Bertrand-Quentin regardant la route, et Denise le conduisant au rond-point de *L'Enfant et l'huître géante* qui attendait d'être immortalisé par le maître.

Tout d'abord, Bertrand-Quentin d'Aumal défit la boîte en carton qui protégeait son chargeur de téléphone, à l'aide d'un couteau suisse qu'il gardait toujours dans sa poche. Puis il râla contre les emballages et le polystyrène avant de le brancher sur l'allume-cigare. La lumière de son téléphone s'alluma, un bruit retentit dans la voiture, annonçant le retour à la vie de l'appareil. Tout fonctionnait à merveille, ils longeaient la mer, il faisait un grand soleil. Tous deux commençaient à se détendre complètement, à reprendre une respiration normale, plus calme, moins saccadée.

Bertrand-Quentin d'Aumal mit son téléphone à l'oreille, pour écouter les messages laissés pendant la matinée.

A ce moment, Denise eut un pressentiment mauvais, quelque chose passait dans la voiture, comme une odeur chaude de courant électrique. Elle posa la main sur le volet en plastique de la climatisation, mais aucun air n'en sortait, cela devait venir d'ailleurs.

Au bout d'une minute, Bertrand-Quentin d'Aumal demanda à Denise d'arrêter la voiture sur le bas-côté. Il ferma la fenêtre de sa portière, sortit de la voiture, et s'éloigna de quelques mètres pour passer un coup de téléphone. Denise ne voyait que son dos, mais ce dos lui disait bien qu'il se passait quelque chose de grave. Machinalement, elle regarda les minutes défiler sur l'horloge du tableau de bord. Elle songea à la façon dont un deux se transformait en trois en ne déplaçant qu'un seul bâton. Tandis qu'un trois se transformait en quatre en déplaçant un bâton et en en faisant disparaître un autre.

Arrivé au chiffre zéro, Bertrand-Quentin d'Aumal revint dans la voiture, avec une façon étrange de la regarder.

Il s'assit sur le siège en cuir, sans fermer la portière, laissant son pied traîner à l'extérieur. L'air humide du bord de mer s'engouffrait dans la voiture, avec une légère odeur d'œuf pourri mélangé au sel. Le bruit des voitures, à toute vitesse, renfonçait dans le cœur de Denise la sensation d'un danger imminent.

Bertrand-Quentin d'Aumal regardait Denise fixement, longuement, comme s'il attendait la réponse à une question qu'il n'avait pas encore posée.

Puis, il lui expliqua qu'il venait d'avoir son galeriste au téléphone. Merrosier avait été contacté par la maison d'édition. Ils avaient reçu une alerte de l'assistante, qui s'occupait des retranscriptions des fichiers MP3 que Denise leur avait envoyés la veille au soir. Marjolaine avait été surprise du contenu, et voulait s'assurer qu'il n'y avait pas de problèmes de fichiers. Elle avait donc retranscrit une page qu'elle souhaitait soumettre à Bertrand-Quentin pour qu'il valide son récit.

Il lut à haute voix, déchiffrant les mots sur son téléphone portable :

« J'étais très copain avec un type de dix ans de plus que moi, qui se faisait de l'argent de poche en gommant les poils des pubis pour *Paris Hollywood*. J'ai commencé à me masturber tôt. Sept ans et demi. Huit ans. Tu t'imagines la découverte du plaisir sans émission, tout d'un coup, en jouant avec son sexe ? Et quand la porte n'est pas fermée, que ta mère entre et te demande *"Mais qu'est-ce que tu fais ?"*. Non seulement elle savait, mais elle a vu. Je peux te dire que, des années plus tard, quand j'ai lu *Portnoy* et qu'il raconte qu'il se masturbe aux toilettes et que sa mère entre et lui demande *"Qu'est-ce que tu fais ?"*. Je ne me suis pas demandé ce qui se passait à ce moment-là. Mais lui avait treize ou quatorze ans, donc il y avait des émissions. Tu te rends compte ce vocabulaire ? "Des émissions." "Pas d'émission." Mais je t'assure que le plaisir est aussi grand quand il n'y en a pas. »

Bertrand-Quentin d'Aumal demanda à Denise s'il devait continuer sa lecture. La jeune fille était pétrifiée. Ne pouvant plus prononcer un mot. C'était étrange d'entendre les mots de Gérard dits par un autre. Comment expliquer ? Comment dire ? Il n'y avait rien à dire. Bertrand-Quentin d'Aumal signifia à Denise qu'elle était renvoyée à la fin de la journée. Sa remplaçante arrivait par le train de 18 heures Elle lui donnerait les clefs de la voiture ainsi que toutes les instructions pour le matériel. Et Denise prendrait un train pour Paris à 18 h 59. Non seulement le billet était à sa charge, mais Denise devait effectuer dès le lendemain matin un virement sur le compte de la maison d'édition, de l'argent qu'ils lui avaient avancé pour les frais.

Cet argent, qu'elle avait déjà entièrement dépensé pour payer son séjour à Paris, à la rencontre de Gérard Rambert.

*Gérard Rambert*

Gérard Rambert se pencha lentement sur le téléphone qu'il avait laissé sonner une première fois.
Mais après deux ou trois minutes de silence, le
foutu téléphone avait recommencé. Il fallait décrocher pour que ça cesse. Pourtant il n'en avait
aucune envie. La sonnerie avait la tonalité néfaste
des coups de fil que l'on regrette. C'était pénible,
la vibration ajoutée à la chaleur, et puis avec cette
transpiration infernale, les gouttes qui cheminent
sur la peau comme de petits animaux, ce liquide
d'un corps qui était pourtant le sien. Lorsqu'il passait sa main sur son avant-bras, Gérard pouvait
rester quelques instants à les observer, ensemble :
sa main sur son avant-bras mouillé. Et cette odeur
d'eucalyptus. Elle arrivait par la fenêtre, de dehors.
Les travaux peut-être. Une odeur d'eucalyptus mais
chimique. Comme à Nice. Avec Renghart. Les eucalyptus bleus. En plus de la sueur, la sensation de son

dos pelé sur sa chemise lui était très désagréable, mais encore plus celle de reconnaître la voix de la petite Denise Maisse au bout du fil. Il voulait raccrocher. Mais il eut finalement pitié.

— Allo ?
— Bonjour, c'est Denise Maisse. Je ne vous dérange pas ? Je suis rentrée à Paris finalement. Et je voudrais savoir si je pouvais vous voir encore une fois.

Gérard n'avait pas réussi à dire non. C'était pourtant ce qu'il aurait eu envie de faire. Ce qu'il aurait dû faire. Mais la mollesse des chairs, et cette voix qui tremble de l'autre côté du téléphone. La défaillance de l'enfant. Il revoyait Denise quand elle était petite. En 1985 elle avait alors quoi... presque cinq ans. Demandant sans cesse les bras de son père, et puis finalement les bras de n'importe qui du moment qu'ils la prennent, chouinant comme un petit chat morveux. Sale. Les doigts. Les cheveux. Des cernes sous les yeux. C'était toujours les autres qui finissaient par la faire taire, parce qu'à ce moment-là, Patrice était incapable – physiquement incapable – de prendre l'enfant dans ses bras. De la considérer même. De la regarder. Lui, Gérard, n'avait pas oublié la petite fille. Il n'avait pas été étonné de sa réapparition, il en avait eu l'intuition confuse. C'était difficile de dire non. Maintenant.

Après avoir raccroché le combiné, Gérard s'allongea très doucement sur sa chaise longue B 306 et son matelas en cuir de poulain. A cause de la chaleur, il enleva ses chaussures italiennes rouge sang, déboutonna sa chemise Charvet. Il avait envie de se gratter le dos, qui le démangeait. Il aurait eu envie que quelqu'un soit là pour l'aider à soulager cette irritation. N'importe qui. Même la petite Denise, ce fantôme. Même ses parents.

Il n'avait pas envie de penser à eux, mais n'arrivait pas à faire autrement. Ses parents, là, maintenant, s'imposaient à lui, dans son esprit, devant ses yeux. Abraham et Judith. Lui, bretelles colorées et ses lunettes en écaille. Elle, tailleurs beiges l'été, et marron clair l'hiver. Oui, cela fait une vraie différence. Toujours.

Abraham et Judith nés tous les deux en Alsace, à Strasbourg. Du côté de Judith, la famille venait de Pologne, près de Varsovie. Le grand-père de Judith était docker : il chargeait les tonneaux de harengs des trains, dans les ports de marchandises. Quand le bateau arrive, il faut se dépêcher, ouvrir les cales, décharger les tonnes de poissons. Il faut aller vite, les conteneurs sont lourds au-delà de l'imaginable. Ephraïm était une force de la nature.

Les parents de Gérard se rencontrent en 1934. Ils ont à peu près le même âge, Judith est plus âgée de trois ou quatre mois. Ils se sont connus enfants et la guerre est arrivée. Judith fait passer des réfugiés en Suisse, Abraham dans le maquis. Abraham dit : « *Pas par courage, mais pour ne pas se faire attraper.* »

A la Libération, dans la queue d'un cinéma des Champs-Elysées, Abraham tombe par hasard sur le frère de sa future femme. Ils renouent contact et se marient.

Quand les parents évoquaient la guerre, ils le faisaient en yiddish, pour ne pas se faire comprendre des enfants.

Il y avait eu des deux côtés des déportations, des morts. Alors on ne parlait pas car il y avait la douleur. Et Judith avait fait ce qu'elle avait eu à faire, sans avoir l'impression d'être héroïque – payée trois citrons et trois timbres par mois pour son travail avec les réfugiés.

Un jour, quelqu'un a raconté à Gérard : lors d'un passage, Judith eut la robe arrachée par des bergers allemands.

Pendant la guerre, Abraham a senti qu'on n'aimait pas les Juifs dans les maquis communistes. Ils étaient mis en avant, sur la ligne du danger. Abraham est ainsi allé au feu. Ça, il a raconté à ses enfants, comment ça s'était passé : c'est-à-dire que ses sphincters se sont relâchés de peur et qu'il ne croyait pas aux héros.

En 1963, Abraham change de nom.

Ce fut une énorme différence de s'appeler Gérard Rambert par rapport à Gérard Rosenberg. C'est-à-dire qu'il n'y avait plus de « sale Juif » quotidien dans la cour de l'école. Plus de ségrégation. Qui ne l'avait jamais fait souffrir au demeurant. Un professeur de l'école lui avait dit une phrase qu'il n'a pas comprise, mais qui fut consignée dans sa mémoire : « *Rosenberg vous êtes bien le digne représentant d'une race mercantile.* » C'était pendant un cours de sport.

Ensuite, tout cela a simplement disparu, parce qu'en même temps qu'il changeait de nom, Gérard changeait d'école. Nouveau départ à dix ans.

Gérard Rambert est né dans un monde en noir et blanc. Paris était sombre. Avec les années, la ville s'est éclaircie – façades ravalées, les unes après les autres. Les gris souris, les bronzes enfumés et les ocres rouillés s'estompèrent au profit des roses clairs, des jaunes pâles et des blancs que justifiait, soi-disant, le retour à la pureté des origines. Et les façades, comme les visages des femmes des quartiers chic, perdaient tout âge, avec leurs pierres d'une égale blancheur. Mais dans l'enfance de Gérard, la ville était couverte de suie. Les voitures aussi étaient noires.

A cette époque-là, il y avait encore des livreurs, avec des voitures à cheval. L'odeur du crottin dans les rues. Et le bruit des sabots. Quand Gérard entendait ce bruit, il savait qu'on allait venir le réveiller pour aller à l'école.

Gérard Rambert a habité rue Henri-Rochefort, entre l'ancienne place Malesherbes et la place Monceau.

Son premier souvenir. Etre sur le dos d'Ephraïm, son grand-père, dans le jardin de la maison qu'ils louaient tous les étés à Deauville. Il a quatre ans. Il monte sur ses épaules pour cueillir des pommes pas mûres. Oui, c'est son souvenir le plus lointain.

Le père de Gérard est sorti de la misère à Strasbourg en 1944. Il est alors dans le maquis et se fait attraper par la police militaire américaine. Il est armé, c'est la nuit, on l'emmène au poste voir l'officier de garde. Et quand celui-ci le voit, la première phrase qu'il prononce est en yiddish – c'était un Juif américain. Naturellement Abraham lui répond parce que le yiddish est sa langue maternelle.

Cet homme était le responsable de toute la logistique de l'armée américaine de la région. Ainsi, Abraham se retrouve à vingt ans, avec la possibilité de sortir des cartouches de cigarettes, des bouteilles de whisky et des bas en nylon.

Trente ans plus tard, Gérard a rencontré l'officier, venu lui rendre visite à Paris. Un petit bonhomme – ce fut très émouvant.

Abraham devint « troussetier ». Il réunissait les différentes pièces du trousseau, les mettait dans des malles et les vendait. D'une certaine manière, c'était une des premières affaires par correspondance – il a même fini avec une soixantaine de camionnettes 2CV.

Puis vinrent les boutiques. Judith s'occupait des achats, des vendeuses, elle faisait « tourner les magasins ». Il y en avait sur les Champs-Elysées, rue du Faubourg Saint-Honoré, rue de Sèvres et boulevard Saint-Germain.
Gérard se cachait dans les cabines d'essayage. Son magasin préféré était le « Dominique Verdel » à l'angle de la rue Royale. Gérard aimait traîner au milieu des aimants qui servent à ramasser les aiguilles, jouant avec ces boules pourpres dans lesquelles on pique les épingles – les vendeuses l'adoraient, avec leur halo de laque capillaire et de parfums vernis.
Gérard était un enfant poli, gentil et serviable. Faisant de la gymnastique le matin, tous les étés. Ne cherchant pas les conflits. Latin, piano. C'était l'époque. Une vie réglée. Une enfance insouciante.

En classe, il est toujours assis à côté de la fenêtre. A rêvasser. Constamment ailleurs. Aujourd'hui il ne pourrait pas dire exactement où il était. Mais il n'était pas là.
Un matin, il y eut un peu de turbulence dans la classe. Le professeur dit : « *Rambert dehors.* » Mais ce jour-là Gérard était malade. L'habitude.

Gérard ne parvient pas à se concentrer. Ni rendre des devoirs corrects. N'arrive pas à s'organiser. Il ne veut rien faire du tout. Rien ne le passionne. Rien.

Au jour le jour. Gérard veut seulement garder son insouciance le plus longtemps possible.

Déjà, ses parents commencent à avoir un peu peur de lui. Et cinquante ans plus tard, ils sont toujours effrayés. Mais personne ne peut imaginer. Ce que ses yeux ont vu. Ce qui persiste du passé sur sa rétine lorsqu'il vous regarde. Des personnes ont partagé ces images inversées avec lui, dont certaines sont encore vivantes aujourd'hui, éparpillées, mais qu'il ne rencontre jamais. Ou alors sans les reconnaître. Gérard ne savait pas si Patrice Maisse était vivant ou mort. Il ne l'avait plus jamais revu après l'année 1985. Ni personne de cette période-là. Mais s'il avait eu à parier, il aurait sans doute donné peu cher de leur survie, à tous. Il était, lui, un miraculé.

Patrice vivant. Denise n'arrivait plus à se souvenir de ce monde-là. Celui où son père vivait encore. Cela lui semblait si lointain. Elle imaginait une chose absurde : elle prenait son téléphone, composait un numéro, et après seulement trois ou quatre sonneries, quelqu'un décrochait. Allo ? C'était son père au bout du fil. Voilà. C'était aussi simple que ça. Mais cela lui paraissait irréel qu'une situation pareille puisse exister. Aussi abstrait que le monde d'avant, quand il vivait encore. Non pas tant parce qu'il était mort. Mais parce que rien n'était jamais simple avec Patrice. Et le joindre, lui téléphoner, lui donner rendez-vous, était toujours très compliqué. Se rencontrer relevait d'un exercice périlleux et fragile, que la moindre contrariété, climatique, d'hu-

meur, pouvait annuler. Patrice était une anguille :
la peau visqueuse comme un serpent, mais la chair
était tendre.

Tandis qu'avec Gérard, les choses étaient simples.
Gérard avait un bureau, comme tous les pères normaux en possèdent, muni d'un téléphone, au bout
duquel sa main se tendait systématiquement. Il
était là, toujours là. Pourtant, Denise avait attendu
quelques jours, depuis son retour à Paris, avant
d'oser l'appeler. Elle y avait pensé dans le train
du retour, avec le goût corrosif de l'humiliation
au fond de la gorge. Virée de la tournée. Fini. A
la gare, elle avait dû attendre la jeune fille qui la
remplacerait, une jeune fille de bonne famille, les
cheveux longs et bien coiffés, un air de doux bébé
blême, écoutant distraitement les consignes pour le
travail, le fonctionnement de l'enregistreur et attrapant avec précipitation la carte bleue ainsi que le
liquide qu'elle utiliserait pour les frais divers.

C'était une grosse somme. Dont Denise avait
ponctionné une partie, pour payer ses quelques
jours à Paris, à l'hôtel, s'acheter quelques habits
afin d'être présentable devant Gérard Rambert. Elle
s'était imaginé rembourser cette somme grâce au
salaire qu'elle ne manquerait pas de toucher. Mais
à présent, comment faire ?

Arrivée à la gare Montparnasse, Denise avait eu
l'idée de joindre sa mère, le temps de retrouver ses
esprits et une idée pour rembourser l'argent qu'elle
devait. La somme exacte de 1557 euros. Matilda

n'ayant pas de téléphone portable, elle essaya d'appeler son frère, qui répondit contre toute attente.

Klein était justement avec leur mère – chose assez rare, qui devait se produire une ou deux fois par an seulement – à Paris, dans un appartement qu'elle occupait pour les semaines à venir, un immense appartement prêté par « des amis » – lesquels ? se demanda Denise – dont Matilda avait la charge pour les vacances d'été. Elle s'occupait du courrier et des plantes, en échange de l'occupation des lieux. L'appartement se trouvait dans le quartier de Beaugrenelle, au dixième étage de la « tour Totem », métro Charles Michels. Elle pouvait les rejoindre, il suffisait de changer à La Motte-Piquet Grenelle, c'était facile.

Dans le métro, Denise fut dominée par une sensation puissante qui traversa son corps. Sa respiration devint difficile et ses membres lourds et tremblants. Elle aurait voulu pouvoir s'allonger dans un endroit frais. Mais elle se sentait anéantie par le souffle immense du métro, une aspiration rapide. La résonnance d'un cœur géant en train de battre.

L'émotion d'une normalité, car pour une des rares fois de sa vie, elle allait rejoindre sa « famille ». Les choses étaient simples. Elle s'était perdue, mais les avait retrouvés. Il avait suffi d'un coup de téléphone pour que tout soit résolu. Qu'ils se retrouvent tous sous un toit. Au moment précis où elle en avait eu besoin. La sensation était si forte, si violente, l'idée qu'il suffisait de prendre un métro, d'acheter un ticket, de descendre des escaliers. Quelques minutes, pas même une heure, la mettraient à l'abri, à ses côtés son frère et sa mère.

Denise s'était assise près de la fenêtre et regardait l'engin entrer dans les tunnels, à toute allure. Pour oublier son malaise, elle essayait de penser à son plus ancien souvenir. Sa mère lui avait souvent raconté sa naissance. Et quand elle y repensait, Denise se l'imaginait, comme si elle avait assisté elle-même aux événements. Denise était née le 31 août 1980, quelques semaines après la publicité de Jean-Luc Godard. Pendant le tournage, il y a avait eu ces émeutes à Jussieu, et un jeune homme, Alain Bégrand, était mort en tentant d'échapper à la police. Elle savait aussi qu'à cinq mois de grossesse, sa mère s'était rendue à l'enterrement de Jean-Paul Sartre. Denise pouvait raconter comment la dépouille mortelle avait été amenée jusqu'à la sépulture, les deux heures pour se rendre au cimetière Montparnasse, la cohue, les milliers de personnes, les œillets rouges, les étudiants à barbe, les lunettes d'écaille, les vieux en trench et chapeau mou, Simone Signoret et Yves Montand, et un jeune garçon de quinze ans dont le père est journaliste, juché sur un muret, avec son appareil photo. Tous ces gens, dix-sept mille peut-être vingt, dont Matilda lui dirent qu'un jour, ils trouvèrent « *des raisons de leur existence dans l'œuvre de Sartre* ».

Le 31 août, les accords de Gdansk allaient permettre la naissance de Solidarnosc. C'était une journée chaude, Matilda n'en savait rien, elle ne lisait jamais les journaux et s'était rendue toute seule à la maternité, à pied parce que deux chauffeurs de taxi avaient refusé de la prendre. Patrice était resté avec Klein et Zizi, attendre l'arrivée du bébé. Denise était née rapidement, sans faire de complications. Déjà. Elle avait ouvert les yeux pour la première fois, et si à présent elle les fermait, dans la vitesse de son wagon sous terre, c'était pour égrener ses premiers souvenirs d'enfant. L'été qu'elle avait passé avec son père, juste avant qu'il ne disparaisse mystérieusement. Le premier et le dernier seule avec lui. Klein était avec Matilda, quelque part dans les Landes. Denise, elle, avait séjourné presque trois semaines avec Patrice, entre Cannes, Saint-Tropez et Saint-Paul-de-Vence. De tout cela, elle se souvenait parfaitement. La beauté de son père. Sa jeunesse. Sa distance effrayante. Et ses bras qui, parfois, comme un miracle, se penchaient sur l'enfant fille. Le petit animal inutile. Elle se souvenait.

Patrice, son père, devant le miroir ovale de l'appartement de Cannes. Il boutonne un costume beige en lin. Il porte une cravate rayée jaune et noir – comme les abeilles, dit-il à Denise. Il s'est teint en blond, « *Because blondes have more fun !* », porte d'épaisses lunettes aux contours noirs. Noirs.

Patrice met des chaussettes de couleurs différentes pour faire rire Denise. Mais comme Denise ne rit pas, il dit : une chaussette rouge et une chaussette jaune. Comme les clowns. Avant d'hurler : JE DÉTESTE LES CLOWNS. Puisque Denise ne rit pas, eh bien elle pleurera.

Patrice allongé sur le lit de la chambre de Paco, chez leur ami Nick à Saint-Tropez. Il porte un T-shirt blanc, des chaussettes de tennis très propres, avec le petit liseré rouge et bleu. Il dort sur le ventre, sans sous-vêtements ; juste le T-shirt et les chaussettes. Denise regarde les fesses si blanches de son père, avec la marque du bronzage. La fenêtre est ouverte, les volets blancs, le feuillage, dehors.

Patrice dans la piscine de la villa de Saint-Tropez, toujours chez Nick. Tout est bleu et blanc. Son père nage en la regardant. Il ne porte pas de maillot de bain. Il dit à Denise de ne pas plonger, parce qu'elle ne sait pas nager, mais qu'un jour on ira avec Paco acheter des bouées à mettre autour des bras. Mais Paco n'est jamais disponible pour faire ce genre d'achats. Toujours à Saint-Tropez, près du barbecue, Patrice discute avec Nick.

Nick porte aussi des chaussettes de tennis blanches, mais sans les collerettes colorées. Il lit des livres, il est vieux, donne des ordres, explique à Denise que si elle veut rester avec les adultes, elle doit se comporter en adulte. Ou sinon, Nick pourrait bien redevenir un enfant si elle fait l'enfant. Nick se laisse glisser de sa chaise et pousse des petits cris en tordant la bouche. C'est cela, pour lui, la démonstration de « faire l'enfant ». Mais Denise ne comprend pas, elle a peur. Elle est étonnée que cela fasse pourtant rire son père aux éclats. Un rire féminin, reprenant sa respiration entre deux hoquets, faisant sonner son timbre chaud et délicat. Alors pour lui plaire, elle transforme ses hoquets de pleurs en rires. Toujours tout pour plaire à son père. Denise se souvient que Nick est très préoccupé par les corbeilles de fruits disposées dans la maison – mais il ne faut pas manger les fruits, sous peine de se faire gronder par Nick.

Patrice à la Colombe d'or, à Saint-Paul-de-Vence ; il porte une veste rouge, comme la sculpture de Calder, qui surplombe la piscine – et des boots vernis malgré la chaleur étouffante de l'été. Avant de prendre l'avion pour rentrer à Paris, Nick emmène Denise dans un magasin où il achète une robe à smoks rouge et noir, un serre-tête avec un nœud en velours que Denise gardera longtemps comme un bijou précieux, des chaussettes blanches avec des collerettes à dentelles et des souliers vernis. C'est le plus beau jour de sa vie. Elle n'ose plus parler dans le magasin, plus bouger, de peur qu'on ne lui reprenne les beaux habits. Nick explique à Denise que l'on « s'habille » en voyage. Et au concert.

Dans le métro, Denise pense à Gérard, elle lui envie sa mémoire, et se demande comment un homme peut se souvenir avec autant de précision de tous les moments de sa vie. Elle ne sait pas qu'il y a un nom pour cela, que c'est comme une maladie qui ronge. Ces souvenirs qui lui ont coûté cher. La voilà sans travail, avec une dette de 1557 euros.

Tandis qu'elle traverse les trottoirs, à la recherche de la tour Totem où se trouve sa mère, Denise continue de penser à cette bande qu'une assistante a entendue, avec la voix de Gérard Rambert :

« Je passe mon bac en 1969. En sortant de l'épreuve, je dis à mes parents : j'aurais dû faire philo parce que j'ai rendu une copie extraordinaire de dix-sept pages. Quand je reçois les résultats, j'ai 2. Le correcteur qui m'interroge à l'oral me demande si j'ai été étonné de ma note. Je lui réponds oui. Alors il tape le plat de sa main sur le bureau en disant qu'il n'aime pas les tricheurs. Je devais avoir une antisèche pour rendre une copie pareille. Et bling et blang, il m'interroge sur un mathématicien grec qui n'est pas au programme. Au lieu de me mettre zéro il me remet 2. Et j'ai raté mon bac à un point. Un point. Ce type m'a volé une année de ma vie. Après j'ai fait trois fois la première année de droit, voilà. C'était à Assas, il y avait des histoires avec le GUD et je me suis fait casser la gueule. On m'a foutu à Nanterre pour qu'on me casse plus la gueule... mais c'était compliqué d'aller à Nanterre. Et puis au mois de mars j'ai rencontré une fille, une Américaine qui venait de Californie – Diana. Elle faisait des photos à Paris.

Je l'ai rencontrée dans un dîner chez un mec qui s'appelait Pablo – un type intelligent, tout petit, très gros et vilain. Il était né en Russie et s'appelait en réalité Andreï Friazine. Il était l'associé du mari de l'actrice Carole Aubain, un joueur de poker professionnel. Il a aussi été un moment secrétaire de Berezsti. Pablo était locataire d'un appartement rue Murillo, à l'une des extrémités du parc Monceau. Comme l'appartement était très grand il louait ses chambres à des mannequins. Il fallait toujours qu'il y ait du monde quoi, plutôt des jeunes gens que des gens de son âge. Et je faisais partie du CLUB. Un jour j'ai rencontré Diana qui était là-dedans, une fille très mince. Trop mince.

J'ai dit à Diana : puisque tu veux pas rester à Paris, moi je viendrai te retrouver à New York, en juin. Je suis arrivé au jour et à l'heure. Elle était à l'aéroport. Elle m'a accompagné dans un hôtel – j'étais surpris de ne pas aller chez elle. *"Je vais revenir"* m'a-t-elle dit. Et elle n'est pas revenue. J'ai attendu. Des copines sont passées me voir, elles m'ont expliqué : Diana n'avait pas dit à son boyfriend, un photographe, qu'il y avait un boyfriend parisien qui venait la retrouver ! Trois jours plus tard, Diana réapparaît avec un œil au beurre noir, le type l'avait frappée, etc. etc. On a fui en Californie, plusieurs semaines, puis on est rentré à New York. Mais j'avais plus de fric donc il fallait que je rentre à Paris. Deux jours avant mon retour, je suis tombé sur Pablo, par hasard – ce type est mort il y a quelques années, c'était le propriétaire d'une marque de vêtements qui s'appelait "Mac Steeve" – et donc Pablo me dit : *"Qu'est-ce que tu fais ?"* Je lui réponds : *"Ecoute, voilà, Pablo, j'étais en Californie avec Diana, mais bon, je suis à la rue, donc il faut que je rentre à Paris, je vais vendre ma bagnole, machin truc bidule..."* Il me répond : *"Attends, j'ai une idée pour toi ! J'ai un copain américain qui a un local 61ᵉ Rue 3ᵉ Avenue qui veut vendre des jeans français et italiens : il aurait besoin d'un Français pour s'occuper de la boutique."* Et j'ai commencé à gagner vraiment ma vie à New York en vendant des Jesus Jeans, des Mac Steeve en pantalon gris blazer bleu marine, à des mamans qui payaient leurs jeans 70 dollars, quand les Levi's, les Wrangler et les Lee coûtaient 17 dollars chez Bloomingdale's à deux cents mètres ! Et là j'étais... comme disent les américains *sitting on top of the world*, c'est-à-dire que je ne pouvais pas dépenser l'argent que je gagnais. J'étais bien sûr copain avec les photographes français de New York, à l'époque c'était la mode. On passait nos week-ends à Long Island, les modèles ne s'appelaient pas des "top models" mais des mannequins, et alors tout était facile. TOUT ÉTAIT FACILE.

Tout c'est quoi ?

J'avais un grand chien à New York et quelques restaurants m'acceptaient à condition que le chien reste sous la table. J'étais "le Français avec le chien" ! Le chien, c'était un lévrier irlandais : un irish wolfhound. Un jour, à cent mètres du Dakota building, je tombe sur John Lennon qui sort avec une tête de wolfhound imprimée sur son T-shirt. Quand il a vu le mien il a dit : *"Venez à la maison !"* Mais oui, mais bien sûr, pas pour moi ! Pour le chien ! Ça le faisait marrer, un jeune Français. Je suis allé chez lui. Ouais. J'ai vu l'ambiance, rideaux fermés, sombre. Et puis héroïne, héroïne, héroïne. C'était glauque. Ouais ouais. »

Denise sursauta. Une femme marchait derrière elle. Le bruit des talons hauts résonnait sur le bitume, comme une petite balle de ping-pong rebondissant jusqu'à elle. C'était la première fois qu'elle venait dans ce quartier, elle n'avait même jamais entendu parler de la station Charles Michels. Denise se souvint de cette fille, Julie Bourov. Elle portait, comme cette femme devant elle, des petites bottines à lacets d'autrefois. Julie Bourov venait de Moscou, avait vécu quelques mois à Paris avant d'atterrir, pour une raison vague, au lycée Maurice Merleau-Ponty de Périgueux. Tandis qu'elles séchaient le cours d'EPS pour fumer des bidies derrière le stade, Julie lui avait expliqué qu'à Paris, elle donnait ses rendez-vous en fonction des noms de stations de métro. Cette Russe avait le contour des dents noir, ce qui lui donnait l'air adulte malgré ses dix-huit ans. Denise la tenait pour la plus belle chose du monde. Julie Bourov disparut comme elle était apparue. Du jour au lendemain. Et Denise pensait souvent à elle, surtout quand elle se sentait seule. Elle irait à Moscou et ferait des recherches pour la retrouver, se disait-elle en serrant son cœur dans sa poitrine.

Denise suivait la direction des tours seventies qui se dressent au bord de Seine. Rue Saint-Charles, la tour Eiffel fit son apparition. Elle traversa des trottoirs en travaux, des sous-sols bizarres, s'aventura dans un ascenseur qui lui promettait une arrivée « tour Reflet ». Denise atterrit sur la dalle Beaugrenelle, dans une vieille modernité, en pleine utopie soixante-dix. Tours démentes à 360 degrés, matériaux chargés. Paris avait disparu. Denise débarquait dans le film de Wim Wenders. Oranges, marrons et bleus saturés. Mélancolie de l'Est et perfection architecturale.

Il n'y avait personne, le centre commercial semblait abandonné de tous, sauf l'écho lointain d'un groupe d'hommes en costumes cravates sombres, repérables aux bouts turgescents de leurs cigarettes et dont les silhouettes indécises se dessinaient dans la luminescence bleuâtre de la nuit tombante – aux pieds de la tour Totem, minerai noir et éclaté.

Denise n'avait jamais été aussi heureuse de trouver un toit et sa mère. Elle allait devoir expliquer, pour le renvoi, parce que Matilda finirait bien par en entendre parler. Mais Denise verrait ça plus tard. C'était l'heure où Matilda nageait dans un nuage d'herbe. Où tout était envisageable et rien n'avait d'importance. Toutes les valeurs, les mesures, les entités étaient remises en jeu. Les corrélations entre les choses ne suivaient plus les mêmes raccourcis. Matilda était allongée sur un canapé en velours rose, dont la forme longue et arrondie évoquait un vieux coquillage, en souvenir d'un été passé loin, il y a si longtemps, un de ces coquillages posés sur les cheminées d'appartements haussmanniens meublés de fauteuils Eames et de reproductions de Nicolas de Staël. Matilda, dans un peignoir japonisant, ressemblait à ce tableau de Whistler, un modèle aux cheveux sombres, mal attachés sur le haut du crâne. Elle avait posé sur la table basse tout son matériel, ses petites boîtes d'artisanat marocain, son cendrier en fer cabossé, sa poche à tabac et sa petite pipe longue, fine, avec un embout en ivoire travaillé, que lui avaient offert Klein et Denise pour ses quarante ans. L'odeur de l'herbe se mélangeait à celle agressive du vernis à ongles, Matilda venait de peindre ses doigts de pied en noir, comme elle avait vu, un jour, Catherine Deneuve le faire. C'était dans les années quatre-vingt et Matilda trouvait que c'était « du dernier chic. » Matilda admirait Catherine Deneuve, mais de toutes les actrices, c'était Anna Karina sa préférée, peut-être parce qu'elle était une étrangère, comme elle. A la différence des pieds d'une actrice, ceux de Matilda étaient cornés au talon, la peau brune devenait grise et jaune. Les ongles étaient peints, certes, mais mal taillés et une peau les recouvrait presque à un tiers depuis leur base. Ils reposaient sur le bord de la table basse, les doigts séparés par des bouts de Sopalin roulés en tiges, attendant patiemment de sécher. On aurait dit des petits personnages de guignols, difformes et lointains, jouant une bouffonnerie improvisée. Matilda était si joyeuse de retrouver sa fille, son visage souriait simplement et ses yeux semblaient comme deux fentes coupées au couteau dans la mollesse ronde de son visage. Elle appela Denise par son surnom « mon petit éléphant » et la prit dans ses bras longuement, sans rien dire. Denise se laissa faire – pour une fois. Sentant la tristesse de sa fille dans la lourdeur de son corps s'abattre sur elle, elle lui proposa de fumer, un peu ; c'était rare, mais ça lui arrivait, parfois. Denise tira une bouffée d'herbe. Tout doucement. Elle était parfumée et douce. Persistaient dans son oreille, amplifiées par l'effet des plantes, les vibrations de la voix de Gérard.

« La première drogue que j'ai prise c'était chez O'Neills Brothers, sur Amsterdam Central Park West. C'était l'hiver, un barman m'a mis un Poppers sous le nez. Je ne savais pas ce que c'était, mais je peux te dire que trois minutes plus tard j'étais torse nu. Ecoute bien : j'étais torse nu, et là un type d'une cinquantaine d'années me propose trois cents dollars pour que je baise sa femme devant lui. Ma parole d'honneur. J'ai jamais fait ça de ma vie, je suis pas exhibitionniste. »

La première drogue que Denise avait prise, c'était avec son père, elle devait avoir treize ou quatorze ans. Patrice voulait faire l'éducation de ses enfants en la matière, afin qu'ils ne se laissent jamais avoir, qu'ils puissent reconnaître le bon grain de l'ivraie. C'était l'époque où Patrice fréquentait un militant de Greenpeace et découvrait les valeurs du naturel. Il luttait alors contre les drogues artificielles et mangeait déjà des produits biologiques. Aussi choquant que cela puisse paraître, l'initiation de Patrice avait porté ses fruits, car Klein n'avait jamais plus touché à aucune drogue de sa vie et Denise ne fumait que rarement. En s'endormant sur le canapé rose, légèrement défoncée par la bonne herbe de Matilda, Denise pensait à ce matin où, petite fille, elle avait trouvé ses parents allongés, endormis tout habillés sur le tapis devant la porte d'entrée. C'était leur période « coiffure », avec des tentatives de teintures, de frisottages et de permanentes maison, qui ne réussissaient jamais. Un jour, Matilda rit tellement qu'elle fit pipi dans son pantalon. Denise se souvenait de la gêne qu'elle ressentait souvent, avec ses parents. Longtemps elle crut qu'ils étaient des gens très joyeux.

Dans sa vie, Matilda avait passé le plus clair de son temps à attendre Patrice, qui devait passer dîner mais ce n'était pas sûr. Qui allait rester dormir mais ce n'était pas sûr. Qui prendrait les enfants pour faire une balade et acheter des glaces mais ce n'était pas sûr. Qui voulait lui présenter untel ou machin truc, mais ce n'était pas sûr. Si Matilda s'énervait dans l'attente, tout disparaissait à l'arrivée de Patrice. Il était son idole – elle disait souvent qu'elle le trouvait beau « comme un dieu grec » – et il existait dans sa vie. Cela suffisait à son bonheur. Elle aimait qu'il emprunte ses bagues, cela prouvait son bon goût à elle. Elle aimait qu'il vienne dîner à sa table, sans penser qu'il profitait. Elle aimait qu'il vienne avec deux, trois amis inconnus, pour leur montrer les enfants, qu'il fallait parfois réveiller alors qu'à peine couchés. Cela prouvait combien il était fier d'eux. Elle aimait qu'il la présente uniquement comme la fille de Daroussa, ce qui éveillait la curiosité de ses amis branchés. Elle en ressentait du prestige. Elle aimait tout de lui, acceptait tout. C'était le père de ses enfants. Un beau père, magnifique, jeune, côtoyant les gens de la mode et les artistes. Il n'y avait qu'une seule année, où elle ne l'avait pas attendu. C'était l'année 1985.

— Maman, tu te souviens de l'année où papa a disparu... demanda Denise, accoudée au canapé rose, aux pieds de sa mère.

— Non. Comment ça disparu ?

— En 85, tu ne te souviens pas ? On ne l'a pas vu pendant plusieurs mois et il est revenu à Noël.

— Il n'avait pas disparu alors.

— Tu sais très bien de quoi je parle.

— Non, tu me parles d'une chose qui s'est passée il y a vingt ans, alors que je ne sais même plus ce que j'ai fait la semaine dernière.

— Un jour Klein m'a dit que tu lui avais dit que papa était en prison.

— N'importe quoi. C'était l'époque où il partait beaucoup faire de longs voyages.

— Où ça ?

— Je ne sais plus, en Asie je crois, avec Nick. Oui, c'était leur période Asie. Tu te souviens de son ami Nick ? Il était très gentil avec les enfants.

— Oui, je m'en souviens et je peux te dire qu'il n'était pas gentil avec les enfants. Tu sais j'ai rencontré quelqu'un qui a connu papa à cette époque-là.

— Ah bon ?

— Il s'appelle Gérard Rambert. Ça te dit quelque chose ?

— Non, ça ne me dit rien. Chérie je suis complètement stone, tu vas dormir dans le lit que j'avais préparé pour ton frère. A mon avis il ne rentrera pas avant demain matin.

Voilà. Ce fut le premier mensonge.

Vers six heures du matin, Klein réveilla sa sœur, qui venait de s'endormir depuis deux heures à peine. Son haleine sentait le vin et ses lèvres étaient presque noires de lie. Il voulait dormir et réclamait le lit qui lui était dû. Denise savait qu'il ne servirait à rien de protester, elle se glissa à moitié endormie hors de la chambre, elle avait le choix entre le canapé et la place vide à côté de sa mère. Elle choisit le canapé.

Sur la table basse, le cendrier et la pipe froide sentaient un mélange d'acier et de terre, Denise se positionna de l'autre côté, le nez contre le velours usé du canapé, cela ne sentait pas meilleur mais moins fort. Elle fut réveillée deux heures plus tard par le remue-ménage de Matilda arrosant les nombreuses plantes de l'appartement.

Elle faisait un peu trop de bruit, décidée à réveiller Denise pour partager quelques tartines de pain chaud et profiter de ce que Klein dormirait une bonne partie de la matinée, afin de réaliser le deuxième mensonge qu'elle avait mis au point en s'endormant.

— Denise, prends un couteau à beurre pour beurrer tes tartines, sinon c'est dégoûtant.
— Je sais pas où est le tiroir des couverts.
— Je sais jamais non plus. C'est bizarre de vivre dans l'appartement de quelqu'un d'autre.
— Moi j'aime bien, je trouve ça marrant d'être chez des gens.
— Ah oui, parce que toi tu aimes bien fouiller.
— C'est dégueulasse de dire ça. C'est pas vrai. Dis que c'est pas vrai.
— Oh t'es chiante dès le matin. C'est pas vrai.
— Et tu loues ici ?
— Non, je reste en échange d'arroser les plantes, prendre le courrier.
— Et notre maison tu la loues aux Bonide ?
— A ton avis.
— Mais j'aime pas qu'on aille dans ma chambre.
— Ils sont prévenus. Je croyais que ton boulot avait commencé ?
— Ben justement. Il y a eu un petit problème. Peut-être tu vas recevoir un appel de ton copain, celui de la maison d'édition.
— Qu'est-ce qui s'est passé ?
— Je me suis engueulée avec le photographe. Maman tu peux pas imaginer comme il était con.
— Si, François m'avait prévenu.
— Mais je vais trouver un autre boulot. Je pourrais un peu rester ici, avec toi.

— Tu sais j'ai repensé à ce que je t'ai dit hier. Je me souviens de ce Gérard Rambert. On l'a connu il y a des années. Il est expert ?

— Oui.

— Tu vois je m'en souviens, mais on l'a rencontré bien après. En 88, juste avant qu'on déménage à Périgueux.

— Ah bon, mais tu l'as rencontré comment ?

— Je sais plus très bien, à force je confonds les gens, les époques, tu prends quelqu'un pour un autre. Donc forcément, ce type doit confondre aussi. Moi il y a des pans entiers de ces années que j'ai complètement oubliés. Tu sais.

— T'as oublié quand on était petit ?

— Non, pas vous, mais parfois d'autres choses, tu vois.

— Peut-être que tu confonds alors. Tu penses que tu l'as rencontré en 1988 mais en fait c'était en 1985.

— T'es chiante. Laisse ce type. Ne lui parle pas. Pourquoi tu lui poses pas la question directement à ton père ?

— Arrête avec ça maman. Ça me fait flipper que tu croies vraiment au spiritisme.

— C'est l'herbe qui te fait flipper. J'aurais jamais dû te faire fumer. Ça te donne des idées noires après.

Non, Gérard n'avait rien oublié. Rien. Pas plus l'année 1985 que le mois de mars 1962 ou l'été 1957. Les jours, les mois et les années étaient classées dans une demi-sphère, qu'il pouvait visualiser en fermant les yeux. Un système de planètes, qui gravitaient autour de son cerveau. Plus ou moins éloignées, mouvantes, légères, mais toujours localisées dans la même région du crâne. Les dates avaient différentes couleurs. Les années qui se terminaient en cinq étaient de couleur rouge : 1895, 1975, 1985. Les couleurs étant aléatoirement déterminées par une image marquante de l'année, comme une pochette de disque par exemple. Il n'avait aucun effort à faire pour qu'elles se déploient, comme d'immenses cartes routières, décrivant les événements, les discussions et les paysages.

Ce n'est que tardivement, à la fin de l'adolescence, que Gérard s'était rendu compte que tout le monde n'avait pas le même fonctionnement de mémoire. Que les gens pouvaient facilement oublier les événements qu'ils avaient vécus. C'était bizarre, mais c'était ainsi. Gérard avait traversé les années de son enfance sans avoir conscience de cette différence, comme une maladie invisible et indolore, que l'on ne découvre que sur le tard, lors d'un contrôle de routine. Il n'avait jamais cherché à comprendre, ni découvrir plus de choses sur cette particularité.

Gérard avait réussi à retarder le rendez-vous avec Denise de quelques jours. C'était déjà pas mal. Il aurait le temps de s'organiser d'ici là, et de trouver le courage d'affronter encore une fois son regard.

De combler la conversation, la noyer de mots. Une dernière fois.

Il prit les lettres rangées dans le tiroir de son bureau, sous les papiers de la donation Vinteuil. Il les ouvrit doucement, comme si, peut-être, les pages allaient devenir blanches. Bizarre, de penser que les choses peuvent parfois s'arranger d'elles-mêmes, comme de croire au miracle.

Denise, elle, relisait le mail qu'elle avait reçu de la maison d'édition. Il faisait suite à un appel. La dame au bout du fil avait la voix rauque des vieilles secrétaires qui ont trop fumé. Celles qui furent les dernières récalcitrantes à la loi Evin, avant de devoir courber l'échine et acheter des boîtes entières de chewing-gums à la nicotine, dont les emballages métallisés remplissent, à moitié entamés, des tiroirs de bureau.

Denise avait été impressionnée par cette voix si familière, dont la sonorité grêle et puissante lui rappelait celle des copines de sa mère qui se penchaient tendrement sur sa tête de petit enfant, touffes de cheveux poivrés au-dessus du berceau, toujours précédées d'un halo de fumée de cigarettes mêlé de parfums lourds comme des fardeaux.

Il fallait donc rendre l'argent, le plus vite possible. Sans qu'elle ne détermine précisément la raison de ce geste, en raccrochant le téléphone, le papier griffonné d'une liste de chiffres, précédé du montant exact des frais qu'elle se devait de rembourser, Denise composa le numéro de Gérard Rambert.

« *Bonjour, c'est Denise Maisse. Je ne vous dérange pas ?* »

Si justement. Elle le dérangeait, en troublant le déroulement incertain de sa pensée, entièrement fixée sur les lettres.

Gérard se mit à frissonner, malgré la chaleur. Il avait peur de devoir partir, toutes affaires cessantes. Pour combien de temps ?

Denise aussi aurait pu choisir de disparaître dans la nature, c'était même bien plus facile pour elle. Un être neuf, sans attache, sans lien social, sans maison, sans appartement, sans bureau, sans travail, sans rien. Un être sans rien. Elle ne savait pas pourquoi elle avait appelé Gérard Rambert, c'était comme si elle avait eu l'intuition qu'il participerait à la résolution de son problème d'argent. Peut-être était-ce parce qu'elle avait tout perdu, indirectement par sa faute. Maintenant qu'elle avait pris rendez-vous avec lui, il lui fallait une raison valable de le déranger encore une fois. Une façon aussi de l'intéresser et de nouer avec lui, pour une dernière fois, un lien autre que celui de la curiosité. Prendre un chemin de traverse.

Denise avait eu une idée. Pour surprendre Gérard. Au-dessus du lit de sa chambre à Périgueux, Denise avait accroché le cadeau du grand-père si admiré par les autres, qu'elle avait reçu à sa naissance. Elle, ne se souvenait pas de lui, il était mort deux mois plus tard à l'âge de quatre-vingtquatorze ans. Et puis elle ne l'aimait pas ce tableau. C'était une petite gravure, le portrait d'une femme espagnole. Le visage était oblong, le trait disparaissait quasiment au niveau du menton, comme si une barbe transparente mangeait le visage, faisant ressortir les yeux gros et noirs dont l'un semblait vouloir éviter l'autre. La blancheur de la peau rehaussée par un grain de beauté sur la joue et une sorte d'éventail planté dans une chevelure touffue, comme celle de Matilda (des cheveux en poils de chatte disait Klein, en tirant sur les siens, désespéré d'avoir hérité de ce gène encombrant, qu'il cachait sous des bonnets de laine, même dans la chaleur de l'été). Sur la gravure, le peintre Daroussa avait ajouté des couleurs fines à l'aquarelle, un léger bleu qui dessinait la paupière, du rose poudré pour la peau douce du décolleté et du carmin sur l'éventail. Le peintre avait écrit d'une main tremblante, d'une main malade de vieillesse, les mots : « Denise quand elle sera grande. 1981 » suivis de la signature de Daroussa. Les lettres D et A étaient plus grosses que les suivantes, qui s'amenuisaient les unes derrière les autres. Le petit a final se détachait, souligné d'un petit trait simple, légèrement désorienté vers la fin du nom.

C'était la seule chose que possédait Denise, la donation ayant sauté une génération, puisque Matilda n'avait jamais reçu ni œuvre ni hommage de la part de son père. Ni même la moindre attention. Ce n'était qu'une gravure légèrement colorisée, mais la signature seule pouvait, espérait Denise, lar-

126

gement couvrir sa dette. Elle la montrerait à Gérard Rambert, qui saurait sans aucun doute l'expertiser et trouver quelques adresses où l'envoyer vendre son bien. C'est du moins ainsi que la jeune fille imaginait les choses.

Pour aller à Périgueux, Denise devait prendre un train en direction de Bordeaux, avec un changement puis un TER. A cause d'un retard, elle avait long-temps attendu la navette suivante à la gare qu'elle aimait pour sa salle des pas perdus, tout en bois, qui lui faisait penser à un tribunal bien plus qu'à une gare.

Jamais de sa vie l'absence de son père n'avait été aussi âpre. Elle repensait à la vie de Patrice : il n'avait vécu que pour le cinéma, le théâtre et la lit-térature. Et tout cela avait concouru à lui faire pen-ser que sa vie avait un sens. Les techniques de la fiction lui avaient donné l'illusion que l'espoir serait récompensé, que les échecs rendaient meilleur, que les catastrophes étaient le domicile des héros, que l'amour attendait chacun. Et qu'il y aurait toujours mieux, après. Que les dangers pouvaient être fuis grâce à des issues de secours. Que les maladies seraient guéries grâce aux prières. Que les êtres pénétraient dans leur vie selon une trajectoire, au cours de laquelle non seulement ils s'amélioraient, mais traversaient des étapes qui les construisaient. Il croyait comme tant d'autres à la récompense. A la justice. Patrice était un être réel qui se pensait construit comme un être de fiction, il était nourri d'un spectacle, qui ressemblait à sa vie, mais dont la dimension était différente. Un univers miroir, où les gens ressemblaient à ceux de la vie réelle, où les décors étaient les mêmes, mais obéissant à d'autres lois. Et il y avait, dans ce décalage, comme un centre de gravité déplacé. Mais Patrice avait fini par ne plus s'en rendre compte. Et il ne comprenait pas, pourquoi la vie qu'il menait était absurde. Fade. Répétitive. La fiction était son fléau, elle s'était installée avec les siècles jusqu'au plus intime de son être, par l'imprégnation des modes de narration dans les vies humaines. Un jour qu'ils buvaient un Bellini au Harry's Bar – Patrice avait été déçu par la petitesse du lieu – ils avaient rencontré, lui et Nick, un Français bizarre qui prétendait écrire des films et sortait avec une fille qui aurait pu être la sienne. L'écrivain leur avait tenu les propos suivants : « Nous attendons de nos contemporains qu'ils se comportent en protagonistes. Nous avons remplacé la foi en Dieu par la croyance en un narrateur omniscient. Plus la fiction s'imprègne en nous, plus nous prenons des antidépresseurs. Sans faire le lien entre les deux. »

Mais la vie de Patrice Maisse prouvait bien le contraire. Rien ne pouvait justifier un sens précis, une trajectoire. Il n'y avait ni cause ni effet, ni amélioration, ni construction. Simplement un conglomérat étrange de faits qui le dépassaient. Patrice ne possédait pas la vertu princière qui consiste à savoir attraper la chance. La chance était allée à lui, à plusieurs reprises, mais il l'avait laissée partir, à chaque fois.

Il n'avait rien fait de tout ce qu'on lui avait donné, il était resté nigaud devant les opportunités, il représentait même cela : cet échec, cette impossibilité à franchir la ligne. C'était peut-être pour cette raison précise que Patrice Maisse fascinait autant un groupuscule d'êtres prêts à lui consacrer des mémoires, des lettres, des blogs et des articles.

En sortant de la gare, arrivée à Périgueux, Denise se sentait triste et vague. Elle se disait qu'elle était la fille de cet homme si étrange, et se demandait pourquoi elle. Elle était partie depuis quinze jours, mais cela lui paraissait très long. En retrouvant ses rues, son quartier, elle eut du mépris pour la ville. Qui n'avait pas changé. Mêmes façades, mêmes passants. Tandis que Denise, avait respiré un autre air, plus grand, plus vicié, plus dangereux. Comme lorsqu'on retourne dans une maison qu'on n'a connue qu'enfant : la ville lui semblait rétrécie. Trop petite. Un vêtement étriqué au retour des vacances.

Denise avait prévenu les Bonide qu'elle passerait, dix minutes à peine, prendre des affaires dont elle avait besoin. Elle avait un train pour rentrer à Paris deux heures après son arrivée, la maison se trouvant à cinq minutes à pied de la gare, il lui restait du temps à perdre, après avoir décroché la gravure des murs de sa chambre, l'avoir emballée dans des feuilles de papiers et rangée dans un grand sac Darty froissé.

Dehors, elle traîna pour faire passer le temps, regardant le portail blanc des voisins d'où dépassaient les feuilles d'un bananier géant, les immenses grues jaunes qui surplombaient la fontaine de la place Plumancy aux volets toujours fermés, et dont les petits balcons blancs sales en fer forgé n'en finissent pas de rouiller, le charcutier était fermé pour cause d'hospitalisation et chez Artic Photo, elle pensa à Bertrand-Quentin d'Aumal devant des cadres de gros bébés joufflus, coiffés avec des bandeaux d'adultes, souriant sur des fonds jaune poussin – Bertrand-Quentin d'Aumal vivait-il une idylle sexuelle avec sa nouvelle assistante dans un Ibis sur une route de France ? –, chez Lavomath'ic on proposait toujours un lavage à l'eau douce, un cycle blanc à 90°, un séchage en air stérilisé et des boissons chaudes. A la mercerie, une affichette annonçait la date du repas de quartier qui aurait lieu comme tous les étés sur le parking de la gare SNCF, l'association offrait les grillades, l'apéritif, les assiettes et les verres, tandis que les habitants étaient conviés d'apporter leurs couverts, du vin et du fromage. *« On partage tout, même la bonne humeur. »* L'invective était inscrite dans une police manuscrite. L'orchestre New Orleans *« Le Dubond Band »* était attendu pour égayer le déjeuner. Denise se souvenait qu'enfant, elle aimait observer de loin cette festivité, à laquelle Matilda avait toujours refusé de participer. Un peu plus loin, le boulanger de la rue Keller était

130

en vacances, tous les étals étaient vides, mais pas le boulanger à l'angle de la rue Louis-Blanc, qui proposait tous les mois une nouvelle maquette alimentaire. Le thème de ce mois était celui de l'île, confectionnée par une grosse boule de mie de pain, sur laquelle étaient plantés deux épis de blé séché, ainsi qu'une rose en papier. Les rochers étaient figurés par des petits cailloux. Un miroir rond posé à plat constituait la mer, évoquant par son reflet l'étale réfléchissante sous le soleil, tandis que quelques coquillages étaient dispersés çà et là, comme de petits poissons. Un pont en papier gondolé vert reliait l'île à un chemin caillouteux, bordé de sapins miniatures, tels qu'on les trouve sur les bûches de Noël, plantés par paire dans des tranches de pain. Un sable ocre délimitait à la fois les contours de la mer et ceux des chemins boisés débouchant sur deux sculptures de pain en forme de soleil – ou de fleur ? – sur lesquelles était dressée une petite ardoise, indiquant les horaires et les jours d'ouverture de la boulangerie. L'ensemble était un peu confus et Denise resta longuement songeuse devant cette représentation miniature, se demandant comment elle expliquerait à Gérard son retour soudain à Paris.

Denise ne lui parla ni de la tournée des ronds-points avortée, ni de l'incident avec la maison d'édition. Elle expliqua simplement qu'elle était venue presque comme « une cliente », pour qu'il l'aide à vendre un bien qu'elle possédait : la gravure de l'Espagnole. Au lieu de s'installer sur les canapés, comme ils le faisaient à chaque fois qu'ils se retrouvaient, Gérard s'assit à son grand bureau, et Denise en face, son sac Darty entre les bras.

Gérard voulut d'abord voir l'œuvre, qu'il regarda longuement, sans aucun commentaire. Puis il demanda à Denise les raisons de cette séparation, « *c'est rare, que l'on veuille se défaire d'une œuvre dédicacée* ». Sans aucun détour, Denise répondit simplement qu'elle avait besoin d'argent. Rapidement. Elle voulait savoir à combien il estimait l'œuvre, même une fourchette large, qu'elle puisse se faire une idée. Mais Gérard s'était levé, avait allumé une cigarette, il regardait dehors, par la mince fente de l'ouverture des volets. Comme absorbé par le bruit des marteaux-piqueurs et le vrombissement lourd de Paris dans la chaleur de l'été.

Les choses se mettaient en place dans sa tête. Il n'avait rien prévu, et pourtant tout semblait s'organiser selon une volonté extérieure. Il fallait l'accepter. Ne pas lutter contre. Et y aller.

Il lui demanda le montant exact de sa dette – Gérard en avait vu défiler d'autres, prêts à se séparer au plus vite d'une toile de famille. « *J'ai besoin de 2000 euros d'ici la fin de la semaine.* »

Gérard proposa un marché à Denise. Non, un travail, tout simplement.

Il lui demanda de revenir, après le déjeuner, munie d'un appareil à enregistrer. Mais pas celui dont elle s'était déjà servi avec lui, pas le numérique. Il voulait un appareil avec des petites cassettes, comme des cassettes de poupée. Il avait vu cela autrefois, et demeurait certain qu'elle trouverait ce type d'engin dans une Fnac. Il fallait qu'elle achète une dizaine de bandes, oui, cela lui semblait suffisant.

La proposition était simple. Ils étaient jeudi. Denise reviendrait tous les jours jusqu'à dimanche, après le déjeuner. Munie de son appareil et des cassettes. Elle enregistrait ce qu'il lui raconterait, et décrypterait, chaque soir et chaque matin avant de revenir, les entretiens. Dimanche prochain, elle reviendrait avec les feuilles tapées à l'ordinateur, sans faute d'orthographe, propres, et l'ensemble des cassettes qu'elle lui remettrait. Il lui donnerait alors la somme précise de 2000 euros. Denise sentait battre son cœur, comme si un miracle s'exauçait. Elle sourit, pour signifier son accord.

Le marché n'était pas terminé.

Gérard voulait bien acheter l'œuvre de Denise. Oui. Mais pas en échange d'argent. Car il lui était, pour différentes raisons, très difficile d'estimer le coût de cette gravure.

Non. Si elle lui cédait l'objet – il préparerait l'acte de concession dès aujourd'hui – Gérard promettait de lui expliquer (quand elle viendrait le dernier jour, lui remettre les cassettes et les feuilles), Gérard promettait de lui dire exactement où était son père, durant les quelques mois de l'année 1985 de sa disparition. Et dans quelles circonstances.

A ces mots, les gencives de Denise se mirent à se gonfler de sang et ses tempes se creusèrent. Il fallait qu'elle se calme, apaise sa respiration, pour écouter la suite des instructions de Gérard. Si elle était d'accord, continuait-il sans sourciller face à la stupeur de la jeune fille, ils commenceraient les entretiens dès cet après-midi. Il lui donnerait de l'argent, pour acheter l'appareil et les cassettes. Pour la seconde partie de sa proposition, il lui laissait le temps de réfléchir, jusqu'à demain. Denise prit l'argent et posa son sac Darty.

Elle revint à 14 h 30 précises, après avoir erré entre les rayons de la Fnac, sonnée par la révélation de Gérard : il avait donc bien rencontré son père en 1985. Ils commencèrent l'entretien vers 14 h 45. Denise posa son sac plastique sur la table, rempli de cassettes, de piles et fit des essais pour faire fonctionner l'enregistreur. Plusieurs fois, on entendit le bruit sec des boutons et celui électrique de la bande rembobinée – bruits disparus, que les enfants d'aujourd'hui ne connaîtront pas.

Gérard commença par raconter l'enfance de ses parents à Strasbourg, la guerre, le cinéma des Champs-Elysées, puis il évoqua à nouveau les albums photos trouvés derrière les radiateurs, sa naissance, les vacances à Deauville, le lycée, les cartes, les prostituées et puis la rencontre avec Diana et enfin le séjour à New York dont il avait parlé la dernière fois qu'il avait vu Denise.

« Après dix-huit mois à New York, je reçois un coup de fil de mon parrain. Il est cinq heures du matin.

— Tu es un mauvais fils, ton père a maigri, ta mère ne dort plus, ils s'inquiètent énormément pour toi. Ils ont peur, on leur a dit que New York était "dangereux".

Le lendemain je prends l'avion avec mon chien. Mes parents sont là, qui m'attendent à l'aéroport. Bronzés, gros – en pleine forme.

Le premier mot que me dit ma mère, avant même de me dire bonjour – d'ailleurs elle ne m'a pas dit bonjour :

— Et pourquoi t'as pas acheté un éléphant ?

A cause du chien.

Dans la voiture du retour, ma mère m'a simplement dit :

— Ecoute Gérard, tu sais pas quoi faire, t'as vendu des blue jeans à New York, il me reste un magasin au 68 rue de la Chaussée-d'Antin, je te le donne.

Mais avant, je devais apprendre à gérer un magasin. Je suis parti à Barentin dans la galerie marchande d'un grand magasin Carrefour, pour travailler chez un représentant de Levi's en France. Je me souviens, mon père m'avait offert un break DS. Je dormais chez le représentant, sous les toits, avec mon chien et je travaillais quatorze heures par jour. Trois ou quatre mois plus tard, mon père me dit :

— Il y a ton copain "Pablo" qui t'a appelé et qui voudrait que tu le rappelles.

C'était Pablo qui m'avait présenté Diana et c'était Pablo qui m'avait trouvé le travail à New York.

— Devine qui est chez moi ? me dit Pablo.

Elle était là. Diana était à Paris.

On a habité quelques mois ensemble, mais mon chien n'était pas très heureux en ville – j'ai vécu huit ans avec ce chien sans être séparé vingt-quatre heures de lui. Alors j'ai loué un truc de MABOUL dans la forêt de Rambouillet. A Saint-Léger-en-Yvelines. Une propriété close de cinquante hectares. T'imagines, j'avais vingt-trois ans. Cinquante hectares meublés EMPIRE. Avec des tableaux de Gustave Doré aux murs. Quand j'ai visité la maison, il y avait un ébéniste qui restaurait des meubles, qui avait fait les Arts-Déco à Paris. Au moment de la signature, ce type, Monsieur Alphonse, m'a demandé s'il pouvait rester parce qu'il avait encore des meubles à restaurer.

Je me suis retrouvé donc avec un gardien ébéniste qui me cuisinait du lapin chasseur. Deux mois plus tard, mon frère vient en week-end et il me dit :

— Mais dis-moi Gérard, ton gardien il est pédé ?

Je suis tombé des nues.

En dehors de ça, il voulait pas être payé, sauf de quoi faire le tiercé le dimanche et une bouteille de Pastis tous les trois ou quatre jours.

Un soir je lui dis :

— Qu'est-ce que vous voulez que je vous offre pour votre anniversaire Monsieur Alphonse ?

— Si vous pouviez m'acheter une voiture d'occasion, pour le samedi, quand je monte sur Paris.

— D'accord, mais dépassez pas cinq mille francs.

Il s'est trouvé une Austin Mini automatique turquoise. Bon. Un jour, on buvait le Pastis ensemble, détendus, le vieux s'est laissé aller. Tout d'un coup il me lâche qu'il est content d'avoir la Mini, parce que c'est mieux, le samedi soir, pour aller dans les hammams sucer les mecs – le type était édenté, il devait avoir quatre-vingts ans. Tu vois comme je pouvais être naïf. Mais je le suis encore aujourd'hui !

J'avais un copain dans la forêt de Rambouillet qui possédait des chevaux, je lui rendais service en les montant, de temps en temps. Un jour, je passe la journée à cheval tout au bout de la propriété, près des étangs de Hollande où on a retrouvé Boulin.

Le lendemain, je vois mon fournisseur qui s'appelait Armand Benol – le type avait un stock américain rue du Sergent-Godefroy, à Saint-Mandé. En arrivant dans son bureau, je fais la grimace.

— Qu'est-ce que tu as Gérard ?

— J'ai dû faire trop de cheval hier.

— Je vais te donner un truc, ça va te passer le mal de dos.

Pourquoi il a fait ça ? Je pense qu'il voulait me voir vomir. Tu sais ce qui crée le plus de liens entre les hommes, c'est pas quand ils baisent ensemble, c'est quand ils vomissent ensemble. Alors, le lendemain, j'y suis retourné, et il m'en a redonné : je soignais mon dos.

Le quatrième jour Armand me dit :

— Ecoute Gérard, moi je veux bien t'en donner mais tu sais que ça s'achète aussi !

— Pour cinq cents francs je peux avoir quoi ?
je lui demande.

Je me suis retrouvé avec l'équivalent d'une moitié
de paquet de cigarettes. Cela me semblait énorme.
J'avais une machine à café au premier étage de mon
magasin, avec une porte fermée à clef. J'y cachais
l'héroïne au milieu des cuillères en plastique et du
sucre en poudre.

A un moment donné je me suis dit : "Tu vas pas en
prendre tous les jours quand même !" Alors j'ai eu
l'équivalent d'une mauvaise grippe. J'ai pensé : "Ah
bon c'est ça l'héroïne ! Le fameux sevrage, la désintoxication tout ça… ?" Ça m'a fait sourire. J'avais
des frissons, chaud, froid, un peu de fièvre, le tran-
sit dérangé, du mal à dormir mais enfin : j'avais une
grippe quoi… pas de quoi écrire un roman. Donc
j'ai recommencé. Et puis je me suis rendu compte
que, en prenant de l'héroïne, je pouvais retenir mon
éjaculation. Ecoute-moi, à un moment, j'étais tellement ému quand j'avais des rapports sexuels que
j'éjaculais assez rapidement. Et j'avais inventé une
histoire de bouteille de coca-cola reçue dans les
testicules à un jeune âge, qui faisait que j'avais du
mal à me contrôler. Enfin, une FABLE. En prenant
de l'héroïne, je devenais, comment dire, un DEUS
EX MACHINA du sexe. L'héroïne m'a entrouvert
la porte du performeur. D'accord.

Diana était toujours là, elle avait commencé l'héroïne. Mais elle avait compris que la seule façon de
s'en sortir c'était la fuite. Valentino avait besoin
d'une muse à demeure à Rome. Elle est partie. Je

voudrais retrouver une photo d'elle, je sais que je l'ai cachée quelque part. Quelquefois tu planques les trucs tellement bien que tu les retrouves plus. Je ne l'ai pas jetée, j'en suis sûr. Un polaroid. Figure-toi que ça vieillit drôlement bien les polaroids, malgré ce qu'on peut dire. Les vieux, avec la bande blanche et tout. Tiens. Je viens de retrouver mon passeport entre-temps, je suis drôlement content. Là, en te parlant.

J'ai un très bon pote héroïnomane qui s'appelle James Rabinovizt, un architecte exceptionnel. Je me rappelle, lorsqu'on était en manque, on prenait tous les livres de sa bibliothèque parce que les pages servaient de planque. On tombait sur des trésors. Cela prenait des heures, mais on les retrouvait. Je vais le retrouver ce polaroid, je sais que je vais le retrouver. A un moment j'ai eu tellement d'assurance – peut-être en 1980 – que je parlais avec des femmes qui me demandaient comment ça se faisait que je sois si COOL. Je répondais que j'avais pris de l'héroïne pendant vingt ans. Elles venaient me voir de Londres ! Je me souviens de cette actrice américaine, tu sais, qui a les dents écartées. Je ne me souviens plus de son nom – elle est très connue. Un soir elle était chez ce photographe de *Vogue*. J'arrive. On me présente, d'accord, je dis bonjour : j'embrasse pas, JE DIS BONJOUR. Bon. On bavarde, et j'apprends qu'elle dort dans un hôtel, rue de l'Université. Le je-sais-pas-quoi. J'arrive à trois heures du matin, je donne un billet de cinquante francs au concierge et je demande le numéro de la chambre. Voilà. J'ai eu vingt ans à l'époque où il y avait pas le sida, où la drogue était bonne et la pilule existait. Tu te rends compte les paramètres de l'équation ? »

Non, Denise ne se rendait pas compte des paramètres de l'équation. Elle avait un peu plus de vingt ans. Se sentait une enfant dans un corps étrange. Elle se fichait du sida, malgré les courts-métrages diffusés en classe, malgré les conférences en salle polyvalente, les travaux pratiques d'enfilage de préservatifs sur des bites en plastique bleues jaunes et rouges. Cela lui paraissait un autre monde, celui de son père et de Nick. Pas le sien. Elle se fichait de la drogue, n'en prenant que rarement, quand sa mère était d'humeur partageuse. La pilule ne la concernait pas non plus. Puisqu'elle n'avait jamais fait l'amour, et aurait des enfants, comme sa mère. Quand ils viendraient.

Denise vivait à une époque où il y avait le sida, de la drogue dans les cours de récréation, et où le préservatif vaginal était en vente libre. Une nuit, elle avait fait ce rêve, où ses parents lui marchaient dessus. C'était à ça qu'elle pensait, lorsque Gérard lui demanda où ils en étaient de l'enregistrement.

« J'en étais où ? J'en étais à ma lune de miel avec l'héroïne. Bon. Comme une grippe. Attends, j'allume une clope – tous les week-ends, dès le printemps, chez moi, à Rambouillet, des gens très gentils, très doux, prennent du LSD427. Ils dorment dans le parc. Ils dorment autour de l'étang. Ils dorment sur des branches d'arbre. Moi-même je prends pas mal d'acides et Monsieur Alphonse m'attrape souvent à quatre pattes au milieu du potager :

— Qu'est-ce que vous faites là monsieur Gérard ?

— Je cherche le chat, je réponds du tac au tac.

Ça commence à devenir une période à la Clémenti, avec quelques années de retard, tu vois ? Pierre Clémenti à Rome, Gérard Rambert à Rambouillet. Sans faire de comparaison. Mais l'argent n'est pas un problème et on ne vivra pas vieux. Bon. Je suis toujours à Rambouillet et ça commence à devenir sérieux. Et j'achète au garage Mercedes avenue de Longchamp une ÉNORME Mercedes qui appartenait à Jean-Pierre Beltoise, le premier champion du monde français de Formule 1. Les gens ne voulaient pas acheter sa voiture parce qu'ils pensaient qu'il l'avait fusillée. Mais en vérité elle était dans un état impeccable. Et je prends la route à quatre heures du matin, pour Amsterdam. Je fais la route en costume cravate, je passe des douanes parce qu'il y avait pas l'Europe, Schengen n'existait pas. Et j'y vais tous les mois. Un jour, arrive ce qui devait arriver : je me retrouve sans magasin, sans ressource. Je peux pas mettre un pied par terre sans un demi-gramme d'héroïne avant le café. D'accord ? Je vais plus aux chiottes, je suis constipé tout le temps, c'est pas une souffrance, c'est une "expérience". Est-ce que je vais m'en sortir ? Jusqu'où ça va aller ? Pas de folie, pas de schizophrénie. Toujours lucide.

Je rencontre une femme qui a été femme de voyou. Elle a cinq ans de plus que moi, ne me pose aucune question, je sais plus comment je m'appelle, je dors chez elle, je commence les intramusculaires.

Un jour elle vient me voir, je suis dans son lit, et elle me dit dans un rire incroyable :

— Gérard ça c'est TA cuillère. Sois gentil n'utilise pas toutes mes cuillères pour te faire tes piqûres, voilà ça c'est ta cuillère.

On est resté six ans ensemble. Et je pense que c'est la seule femme qui m'ait vraiment aimé, c'est-à-dire qui m'a pris comme j'étais, qui ne m'a jamais demandé quelque chose que je ne pouvais pas faire. Je l'ai jamais déçue. J'ai arrêté l'héroïne mais je suis un héroïnomane. La seule question que je me pose de temps en temps, c'est-à-dire deux trois fois dans l'année c'est : "Qu'est-ce que j'aurais fait de mon existence, si j'avais mis l'énergie que j'ai mise là-dedans, à faire autre chose ?" »

Le clic sec de la troisième cassette signifia la fin de la séance. Gérard Rambert éteignit sa cigarette, pourtant à peine entamée. Il faisait une chaleur pâteuse, pénétrant l'air du bureau avec la langueur lourde d'une lave volcanique. Coupant le halo de fumée des Rothmans rouges. Au loin, les sirènes des pompiers. La chaleur tuait des gens, çà et là, à bien y réfléchir, bien plus que le froid même. De Phébus et Borée, c'était le premier le plus fort, Denise le savait grâce à La Fontaine et à son père. Elle pensa aux vieux qui souffraient, desséchés comme des abricots sous cellophane. Elle devait se dépêcher de rentrer, pour commencer le travail de retranscription, avant leur rendez-vous du lendemain, fixé à la même heure.

Elle demanda à Gérard si elle pouvait laisser la gravure dans son bureau, jusqu'à demain. Elle n'avait pas encore pris la décision, elle voulait réfléchir pendant la nuit.

En arrivant sur la dalle Beaugrenelle, Denise se sentit rentrer chez elle. Elle se demandait si, un jour, elle viendrait habiter à Paris, et ce qu'elle ressentirait alors. Elle repensait aux paroles de Gérard « *Mais l'argent n'est pas un problème et on ne vivra pas vieux.* » Pour elle, l'argent était un problème et elle savait qu'elle vivrait trop vieille. Elle se souvint qu'elle avait déjà entendu parler de ce Pierre Clémenti, peut-être par son père, elle demanderait à Matilda, en rentrant. Mais avant, elle eut envie de voir la Seine, juste derrière les immeubles, et chercha une terrasse où se rafraîchir, avant de se mettre au travail pour la nuit.

Denise se dirigea vers la tour rouge vif, de plus de cent mètres de haut, à la façade d'aluminium, percée de mille cadres de télévisions anciennes en guise de fenêtres. Au pied de la tour, elle suivit une escadrille d'hôtesses de l'air asiatiques, qui entraient dans ce qui semblait être un petit hall commercial avec des escalators qui montent et descendent à n'en plus finir.

Ouvert sur le front de Seine, devant une statue de la Liberté miniature qui lui rappela Bertrand-Quentin d'Aumal, Denise se demandait si elle pouvait s'asseoir dans le café « Liberté » aux grands espaces vides et aux canapés rectangulaires. Comme personne ne s'offusquait de sa présence, elle s'assit dans un des fauteuils en faux cuir de pilotes d'avion assortis à la grosse moquette bicolore, alternant le marron et le beige.

Elle installa ses cassettes devant elle, pour les numéroter, les rembobiner et vérifier qu'elle n'en avait pas oublié dans le bureau de Gérard. Au bout d'un moment qu'elle jugea assez long, elle regarda autour d'elle : les gens – des hommes principalement, seuls ou à deux, en costumes rayés pour la plupart – étaient attablés devant un verre, et pourtant aucun serveur ne se manifestait.

Denise se mit à attendre, se retournant de temps en temps, pour comprendre comment les autres clients faisaient pour se procurer une consommation. Elle vit alors, assis derrière son épaule gauche, un homme qui la regardait fixement dès qu'elle se retournait. Il souriait simplement, ce qui la mit mal à l'aise.

Denise sentit dans son dos un mouvement, et comprit que l'homme s'approchait d'elle. La sueur piquait l'épiderme de son cou et sa respiration devint rapide. Qu'allait-elle faire ? Il fallait déjà que ses mains arrêtent de trembler.

L'homme se pencha vers elle et lui demanda si elle cherchait quelque chose. Elle semblait perdue, peut-être pouvait-il l'aider ? Il était plutôt petit, mais ce que Denise remarqua en premier furent les deux vagues de cheveux châtains travaillées par le gel, qui tombaient à droite et à gauche de son front, prolongeant ainsi le mouvement lisse de ses golfes sur le haut de son visage.

Il s'appelait Bruno, buvait de la bière Asahi puisqu'il séjournait là, à l'hôtel Nikko. Il expliqua à Denise qu'il s'agissait d'un ancien hôtel japonais et pointa du doigts deux stewards en costume d'All Nippon Airways.

Il voulait savoir si elle était journaliste, puisqu'elle tripotait des cassettes audio miniatures. Et si elle attendait quelqu'un.

Bruno faisait très jeune, malgré sa bonne quarantaine – et Denise se dit qu'il avait l'âge qu'aurait eu son père s'il avait été encore en vie.

Son visage n'était pas désagréable à regarder, les yeux noisette, clairs aux pupilles, les sourcils s'effaçant discrètement dans la peau, un nez droit qui avait dû être plusieurs fois cassé dans l'enfance, des dents extraordinairement blanches aux incisives carrées, les plis aux ailes du nez creusés.

Il avait, dans sa façon de découvrir largement une rangée de dents du haut lorsqu'il souriait, quelque chose d'un peu niais et satisfait. Que son regard ne démentait pas. Sa peau avait un masque très légèrement orangé, en raison peut-être d'une séance d'UV ou d'une réaction alimentaire.

Il portait un costume Celio en laine stretch à la coupe très ajustée, de couleur taupe, aux manches un peu longues, coupant en deux le plat de sa main fine. Des chaussures derby à bout carré, elles aussi trop longues, au cuir noir et luisant. Sa cravate brillait d'un rose uni et pâle. Denise remarqua enfin le pin's Toyota composé de trois ovales gris métallisé qu'il portait au revers de sa veste.

Bruno se sentait dans un état bizarre : il avait rasé son bouc la veille. Lorsqu'il passait la main sur son menton, l'absence de poil le perturbait beaucoup. Et la première fois qu'il regarda sa bouche dans la glace, il pensa aux vidéos qu'il avait regardées seul dans sa chambre, comme si une vulve glabre était apparue au milieu de son visage. Mais il ne regrettait pas, tous ses collègues lui avaient affirmé que cela le rajeunissait. Et en effet, il faisait pas loin de dix ans de moins que son âge.

Bruno était bavard. Après s'être assuré par une série de questions que Denise fut seule, il se rendit au bar qui se trouvait derrière un rideau prune pour aller chercher deux autres bières, une pour lui, et une pour Denise. Cadeau.

Pendant son absence, Denise songea quelques secondes à fuir, mais renonça en voyant Bruno, tout sourire, se diriger vers elle. C'était la première fois de sa vie qu'un homme l'abordait. Et Denise était pétrifiée.

Il lui expliqua qu'il travaillait chez Toyota International, en lui donnant sa carte de visite, pour prouver son titre. Bruno passait quelques jours à Paris pour une mission de formation Toyota et en profitait pour participer à un séminaire d'Alumni. Il avait conservé de nombreux liens avec ses anciens camarades d'école de commerce ainsi qu'avec ses collègues de chez Fabien Tabard Strategy Consultant. Il les voyait dès qu'il était de passage à Paris, en général dans des pubs de Saint-Germain-des-Prés, rue des Canettes et rue Guisarde – il aimait bien ce quartier – ou dans des boîtes vers les Champs-Elysées. Ils aimaient aussi dîner entre hommes dans les restaurants des frères Costes. En particulier à « La Société », où les serveuses étaient ravissantes. Il aimerait, un jour, passer une nuit dans leur hôtel – mais il fallait, pour cela, être bien accompagné car il se méfiait des call-girls qui traînent dans ces endroits-là.

Bruno lui parla de son métier, du sentiment d'appartenance qu'il entretenait avec ses anciens camarades. Il dirigeait une équipe de quinze personnes, essayant de maintenir un esprit de groupe, en particulier auprès des fonctions support. Pour lui, c'était comme jouer au rugby, ce qu'il avait beaucoup fait pendant sa jeunesse – il était demi d'ouverture, une position stratégique au bon fonctionnement de l'équipe. Il adhérait à la culture de son entreprise, et se sentait pleinement impliqué dans son engagement auprès des clients. Des séjours comme celui-ci, où les collègues de toute la France se retrouvaient à l'hôtel pour un séminaire, permettaient d'intégrer la notion de plaisir dans le cadre du travail, de se détendre – leurs métiers étant très exigeants. Bruno se sentait investi à cent cinquante pour cent dans son job, il se savait très remarqué par les membres de la direction. Il reconnaissait que chez Toyota, la personnalité avait une part prépondérante dans le choix des managers – on évitait les robots ou les prototypes, car l'originalité, la créativité, étaient une part fondamentale de l'ADN de l'entreprise. Lui-même se définissait comme un profil atypique, il en ressentait une certaine fierté. Il se méfiait des conclusions toutes faites et des idées préconçues. Il aimait les challenges, tant individuels que collectifs. Il pensait que le développement d'un secteur entrepreneurial devait se concevoir comme le développement d'un organe biologique. Il avait l'esprit de compétition, mais sans faire de mauvais esprit. Il se trouvait toujours, depuis qu'il était enfant, au centre des pôles d'attraction ; il savait multiplier les expériences, s'adapter aux climats, aux milieux. Parfois il se sentait une véritable éponge, capable de s'imprégner de n'importe quelle situation pour en comprendre les enjeux et ses problèmes économiques spécifiques. Il trouvait qu'il avait du culot.

Au loin, Denise percevait le bruit de barrissements bizarres, et regardait les cassettes éparpillées devant elle. Et tout le travail qui lui restait à faire.

Quand Bruno lui suggéra de prolonger la conversation autour d'un bon dîner – il connaissait le
meilleur restaurant japonais de Paris – elle réussit
à lui expliquer que ce n'était pas possible. Cela fit
sourire Bruno, qui insista. Elle ne pouvait pas lui
refuser cela, c'était sa seule soirée de libre. Devant
l'obstination de la jeune fille, il ne voulut pas abandonner. Comment cette provinciale à moitié laide,
à moitié bien roulée, pouvait-elle refuser son invitation ? Il lui proposa de se retrouver le lendemain,
à la même heure, au même endroit. Denise accepta,
pour qu'il la laisse partir.

Dans l'ascenseur qui la propulsait au dixième
étage de la tour Totem, Denise ressentit tout l'intérieur de son corps se soulever, un frisson glacé qui
tirait une flèche depuis le creux de son sexe jusqu'à
la nuque. Ses muscles devinrent durs, elle suffoquait.
L'ascenseur s'arrêta au dixième étage. Le temps de la
montée lui parut anormalement long. Elle crut rester bloquée à l'intérieur, et sa respiration s'accéléra.

Enfin les portes s'ouvrirent. Denise s'engouf-
fra dans le couloir comme asphyxiée. Elle sonna à
la porte, mais personne ne répondit. Matilda était
peut-être partie faire une course. Ou, allongée sur
le canapé dans les vapeurs de cannabis, elle confon-
dait la sonnerie de la porte d'entrée avec l'un de
ses rêves étranges qui la faisaient s'endormir dans
un sourire flottant.
Denise s'assit par terre, sur la moquette rêche du

couloir. Elle s'était adossée à la porte en faux bois et sentait sa respiration reprendre son calme. En cas d'alerte, elle pourrait toujours sonner chez des voisins, et cette pensée la rassura. Elle n'était pas tout à fait seule, il y avait des centaines d'appartements dans cet immeuble et des centaines de gens prêts à la secourir. Elle entendit l'ascenseur se remettre en route, l'idée la traversa que Bruno pouvait tout aussi bien en sortir et la trouver là, tapie dans ce couloir sombre, silencieuse, perdue, désespérée.

Denise enleva sa veste – elle était trempée de sueur, dans le bas du dos et sous les aisselles – et s'en fit un petit coussin. Elle s'endormit, assommée par sa terreur.

Matilda fut d'abord effrayée en apercevant une forme humaine devant la porte. Puis elle reconnut le corps de sa fille et se pencha pour la réveiller doucement. Denise avait dormi une demi-heure, profondément, elle se sentait bien mieux à présent.

Matilda lui prépara un bol de gaspacho frais avec du pain, qu'elle fit directement griller sur la gazinière. Denise lui posa des questions, sur Pierre Clémenti, que Matilda avait croisé une fois dans la rue par hasard, mais que Patrice n'avait jamais rencontré, elle en était sûre. « *Ton père lui ressemblait beaucoup* » ajouta Matilda. Et Denise fut surprise, car elle n'avait jamais rencontré quelqu'un qui ressemblait à son père. Elle lui posa d'autres questions, sur les noms qu'avaient prononcés Gérard, mais elle ne les avait pas retenus, il était question d'un Richard et d'un Frédéric. Mais elle ne se souvenait pas bien. Alors, pour voir comment sa mère réagirait aux paroles de Gérard, comme un témoin à qui l'on présente une série d'individus derrière une fenêtre sans tain, Denise mit en marche ses cassettes, fixant le visage de Matilda, pour ne pas en perdre une seule manifestation.

« On en est à Rambouillet c'est ça ? Quand j'ai loué la maison à Rambouillet, Frédéric Pardo – qui y avait habité avant moi – est venu passer vingt-quatre heures avec Keith Richards – ils étaient copains. On se faisait des lignes sur ces tablettes en verre qu'on posait dans le temps au-dessus des lavabos, pour mettre les brosses à dents et les crèmes de beauté. Quelques jours plus tard, Frédéric me téléphone et me dit :
— Keith a halluciné, tu lui as fait peur.
Tu t'imagines ? Bon.
Donc de Rambouillet, je passe rue de Chézy, à Neuilly. J'ai plus les moyens, je suis maigre, je suis jaune, je suis vert, je rentre dans des jeans taille 38, je porte des Vuarnet noires, je suis en manteau toute l'année, j'arrive à Saint-Tropez au mois de juillet avec des doudounes, je mets le chauffage. Enfin tu vois, ça va pas. »

Matilda prit l'appareil enregistreur, pour éteindre le flot des paroles. Elle fit cela en silence, d'un geste résolu, puis regarda sa fille en prenant une grande respiration. Elle avala sa salive, avec difficulté. Mit sa main sur sa bouche. Elle qui n'avait jamais grondé sa fille, de quoi que ce soit, elle lui demanda de ne plus jamais revoir ce type. Mais pourquoi ? demanda Denise. Matilda lui répondit que ce n'était pas à elle de poser des questions. Que c'était impossible de faire des choses pareilles. Et pourquoi ce type acceptait-il de la voir ? Et pourquoi lui racontait-il toutes ces histoires étranges ? Pourquoi lui demandait-il d'enregistrer sur des cassettes ? Où tout cela la mènerait-il ? Denise lui dit, et c'était la vérité, qu'elle n'en savait rien. Mais qu'il la payait pour le faire. C'était un travail comme un autre, pas plus con que celui d'enregistrer les paroles d'un photographe foireux sur les routes de France.

Depuis quelques minutes, les radiateurs de l'appartement s'étaient réveillés, provocant un infernal bruit d'eau, comme si des bêtes aqueuses et des oiseaux de marécages faisaient soudain un concert bruyant dans les tuyaux – avant de s'arrêter net. Denise et Matilda s'affrontaient, pour la première fois de leur vie. Jamais elles n'avaient été en désaccord. Jamais Matilda n'avait refusé quoi que ce soit à sa fille. Jamais Denise n'avait demandé à sa mère quelque chose qu'elle fût susceptible de refuser.

Matilda se mit à pleurer et Denise partit dans sa chambre, en fermant la porte à clef. La réaction de sa mère l'avait troublée : il y avait bien quelque chose de ce côté-là. Quelque chose qui lui faisait peur et qu'elle voulait cacher.

Denise travailla jusque tard dans la soirée, pour taper à l'ordinateur la retranscription de l'entretien. Chaque mot était une possibilité. Chaque mot ouvrait sur le secret. Peut-être fallait-il lire entre les lignes ? Elle savait qu'elle y arriverait, avec de la patience. Puis elle eut du mal à s'endormir, à cause du geste de sa mère, quand elle éteignit l'enregistreur. Puis elle s'imagina Bruno en train de penser à elle. L'idée qu'un homme pense à elle, de cette manière, la gênait terriblement. Dans la nuit, elle fit ce rêve qui revenait souvent : elle prenait une boîte, toujours la même, une boîte à cigares, en bois clair, dans laquelle s'entassaient divers papiers. Denise les observait, et elle trouvait, sous les papiers, un photomaton, vieilli, aux bords blancs assombris, représentant des enfants. Et ces enfants, elle ne savait pas pourquoi, la faisaient souffrir. Parce que, lorsqu'elle s'obligeait à les regarder, à les regarder vraiment, elle se rendait compte que ces petits enfants s'embrassaient sur la bouche. Et cela la dégoûtait.
Mais il fallait chasser ces pensées, et se concentrer sur les paroles de Gérard, les passer en revue dans sa tête, comprendre où son père se situait, à quel endroit.

« Un soir, je dîne chez les Desfolque, rue du Vieux-Colombier. Je gare ma voiture exactement à l'entrée de la caserne de pompiers – bien sûr j'avais pas vu qu'il y avait une caserne de pompiers. Quand je sors du dîner, on m'a enlevé la voiture. Et le chien est dedans ! Je m'affole. Comme ils n'ont pas envoyé la voiture à la fourrière à cause du chien, elle est au commissariat du quatrième. Le type me trouve bien nerveux, alors je lui dis : "Appelez mon frère, il est médecin." Il appelle mon frère, on me rend la voiture, je passe chez mon frère pour le remercier, il me dit "Ouvre la bouche", il m'y met deux comprimés. Je rentre rue de Chézy, et là je me rends compte que mon chien n'a pas mangé depuis deux jours. Demi-tour Pigalle, épicerie, retour rue de Chézy. A trois cents mètres de chez moi, devant chez Michel Poniatowski qui était ministre de l'Intérieur, je m'endors au volant. Et je rentre dans sept voitures sans m'arrêter. Immédiatement j'ai un camion de flics devant et un camion de flics derrière. On est le 22 décembre.

Et j'entends encore les types – parce que j'entends tout, je ne dors pas, mais simplement je ne peux pas ouvrir les yeux – qui disent : "En voilà un qui a fêté Noël en avance." Les flics me demandent de descendre. Mais je ne peux pas faire un mouvement ! Alors ils me tirent de la voiture et m'emmènent au commissariat. Au moment où les flics me font descendre de leur panier à salade, j'ai un paquet dans la poche droite et un paquet dans la poche gauche. En sortant de la camionnette, je lâche tout dans le caniveau, c'est la nuit, personne ne voit rien.

Les flics me font souffler dans le ballon : c'est négatif. Ils me lèvent les bras : il n'y a pas de traces de piqûres. Ils ne comprennent pas ce qui se passe et m'envoient à l'hôpital. L'interne, lui, voit très bien ce qui se passe. Téléphone à mon frère. Tu imagines la nuit que passe mon frère ? Je m'endors et mon père arrive à six heures et demie du matin, le 22 décembre quand même quel âge il avait... il avait... cinquante-cinq ans. Il avait à peu près mon âge aujourd'hui. Et il me dit "Qu'est-ce que je peux faire ?" Je lui réponds : me laisser dormir.

Le manque me réveille. Donc il faut que je sorte de l'hôpital mais ils ne veulent pas me faire sortir. Je signe une décharge – une "pancarte" comme on appelle ça – et je me dirige vers le commissariat pour voir ma voiture. Je ne me sens pas bien hein, parce qu'à ce moment, c'est plus une grippe que j'ai !

Et là, dans le caniveau, il y a TOUS LES PAQUETS. Je n'y crois pas. Il n'a pas plu. Le balayeur n'est pas passé. Ils n'ont pas ouvert l'eau pour les canalisations. C'est un miracle. Je fais semblant de renouer mes lacets, je récupère tous mes paquets, je rentre dans le commissariat, tout le monde me dit bonjour en rigolant, je demande où il y a des toilettes, on me dit au premier étage à la PJ. Je monte à la judiciaire, je demande les toilettes, je rentre je me fais un TRUC FOU. Et de nouveau allez YOUPI tout roule. J'ai la bonne étoile avec moi.

Et là. La descente infernale commence. C'est-à-dire que je suis sans domicile fixe, j'ai des affaires partout, je peux plus payer le loyer de Neuilly, je deviens un clochard propre. Voilà. Donc. J'habite à droite, j'habite à gauche, j'habite devant, j'habite

155

derrière. C'est vraiment le début de la galère. J'ai vingt-quatre ans. J'ai commencé quatre ans auparavant, et là je suis au fond-du-fond-du-fond. C'est-à-dire que je suis en consultation privée avec le grand professeur Pierre Olivier qui me dit qu'il peut rien faire. Que c'est ma mère qui m'a fait comme ça. Et que c'est mon destin. Il me souhaite bonne chance, ça sert à rien que je vienne le revoir.

Un couple d'amis m'emmènent avec eux en vacances à Majorque, un endroit sans électricité. Il n'y a rien, il faut tirer de l'eau au puits. Et là j'arrête tout. Ce que je ressens ?

J'ai le cœur brisé.

J'appelle à Paris une copine qui me dit :

— Gérard, je descends à Saint-Tropez avec mon boyfriend, malheureusement j'ai une copine américaine qui veut absolument voir le concert, j'ai pas trouvé de places dans le même hôtel que nous, elle est dans un MOTEL, le je-sais-pas-quoi Saint-Raphaël, je me rappelle plus très bien, avant Fréjus. Est-ce que tu pourras aller la chercher ? Elle aura les pass, les backstage, tu nous retrouves aux arènes de Fréjus.

Le concert, c'était Roxy Music pour l'album *Avalon*. Voilà. Je roule dans la Mehari Citroën la plus POURRIE que tu puisses imaginer. Je dois avoir deux cents balles, pas de carte de crédit et une voiture où je mets l'essence dix litres par dix litres, d'accord ? Me voilà en route chez une fille que je connais pas, pour l'emmener voir le concert de Roxy Music. Ça m'amuse pas particulièrement mais... qu'est-ce que j'ai de mieux à faire ? Je ne vais pas aller au Club 55 à Saint-Tropez. Je ne peux même pas me payer à déjeuner. Et j'arrive au motel, la fille ouvre, il fait sombre et je me retrouve devant une PILE électrique. Contrariée, énervée. La seule lumière dans cette chambre de motel c'est une lampe de chevet, avec une ampoule sur de la coke mouillée.

Et je lui demande :
— Mais qu'est-ce que c'est ça ?
Elle me répond avec son accent américain :
— J'étais tellement heureuse de voir la mer en arrivant à Toulon, j'ai demandé à la femme chauffeur de taxi d'arrêter la voiture, pour me baigner. Mais j'ai oublié que j'avais ça dans la poche parce que j'étais vraiment excitée. J'essaye de le faire sécher.

Je lui explique que c'est mieux qu'elle mette tout aux toilettes et qu'elle tire la chasse parce qu'elle pourra jamais récupérer quelque chose qui est tombé dans de l'eau de mer. Au bout d'un quart d'heure, je comprends qu'elle est SURPRISE que je ne la reconnaisse pas. Alors elle me sort ses trucs, les campagnes pour les cosmétiques – c'est le moment où ces filles-là commencent à gagner un argent obscène.
Bon. On va tous les deux au concert. Tu vois

les arènes de Fréjus ? Il y a douze, treize mille personnes. Il ne faut pas être agoraphobe. Nous sommes à la mauvaise entrée et elle ne peut pas traverser seule. Je la prends par la main et je la tire ! Mais au milieu de l'arène, il se passe un truc, entre nos mains... La fin du concert arrive, j'ai faim, elle a faim, le seul endroit qui est ouvert à l'époque c'est « Le Gorille », un bar sur le bord de Saint-Tropez, de l'autre côté de Sénéquier. Ouvert toute la nuit, on servait des salades, des omelettes des trucs comme ça. A trois kilomètres de Saint-Tropez, elle me dit qu'elle est déjà venue une douzaine de fois, mais que c'est la première fois qu'elle vient par la route. Et ouais. Madame va se taper un garçon d'écurie. Voilà.

On passe vingt-quatre heures ensemble, enfermés. Pour un type qui doute de lui et vient de sortir d'une vraie désintoxication c'est comme, une météorite qui tombe quoi. Bon. Elle retourne à Monaco, j'ai pas de nouvelles. Il n'y a pas de CELLULAIRE ! Je passe une semaine à côté du téléphone. Qui ne sonne pas.

Retour à Paris, aéroport de Nice, moi à l'époque je voyage avec trois chemises, une brosse à dents dans la poche poitrine et un pantalon blanc. DÉBON-NAIRE quoi. Regarde, je voyage avec ça. Regarde cette chemise, elle a donc plus de trente-cinq ans. Ce n'est pas une copie, elle est EXTRA-OR-DINAIRE. Je ne l'ai jamais remise depuis l'époque, mais elle est là. Regarde comme elle est belle : la poche est raccord. Je l'ai achetée au bord de la route à Los

Angeles. Donc je voyage avec ça et je pense tout le temps à la fille, qui est une plante ! C'est pas du tout la période des anorexiques. Bon. ET. Ecoute ça ! Je passe les contrôles – il y avait pas de sécurité à l'époque –, j'arrive dans la salle d'embarquement. Et elle est là ! Je me souviens, c'était l'époque des premiers Airbus en service.

Je l'emmène chez mes parents. Et chez mes parents il y a le même personnel depuis cinquante et quelques années – tu fais bien la cuisine ? – elle se jette sur le frigo. Elle trouve que c'est extraordinaire, elle n'a jamais été avec un Français ! Elle loue un appartement sur la place des Invalides, en me disant qu'elle va faire des allers-retours. Avec Concorde. Pour qu'on se retrouve.

Je ne l'ai pas vue une seule fois.

J'ai eu ses cousins, j'ai fait le guide, Montmartre, la tour Eiffel, l'Ami Louis, j'ai payé la femme de ménage toutes les semaines. Elle n'est jamais revenue. Attends ! Un an plus tard, je suis à mon bureau, le téléphone sonne, en larmes, elle est à San Francisco, ET elle a des remords, elle a été dégueulasse et c'est pas croyable que je l'aie pas appelée, si moi je lui avais fait la même chose elle m'aurait envoyé des mecs pour me casser la gueule. Et moi je prends ça comme si... elle avait grillé un feu et qu'elle m'était rentrée dans l'aile arrière, bon, ok ? C'est pas grave, je suis très gentil.

Quelques mois plus tard, elle est à Paris toujours

pour les collections, elle m'appelle : "Ecoute on va tous dîner au bar des théâtres, cela me ferait plaisir si tu passais."

Bien sûr que je passe ! Et elle me ramène chez elle – attends je prends un autre paquet de cigarettes – et je me rappelle que toute son équipe lui disait en anglais :

— Mais qu'est-ce que tu fais, ce mec, on le connaît pas !

Et elle a répondu :

— Taisez-vous, c'est le seul type qui ne m'a jamais rien demandé.

Voilà. Je m'en rappelle de ça. *"C'est le seul type qui ne m'a jamais rien demandé."* C'était important pour elle.

Elle reste quarante-huit heures à Paris, elle m'appelle quelques semaines plus tard, me dit qu'elle va chez ses parents dans le Minnesota et elle voudrait me présenter.

Eh bien j'y vais ! J'y vais. J'arrive chez les parents, elle me colle dans une chambre à part. La fille me dit : "Non, pas sous le toit de mes parents" – alors qu'en réalité c'était vraiment une histoire de cul. Et le lendemain je vais à l'église, puis au "club house" jouer au golf ! Le père me présente le barman qui parle quelques mots de français parce qu'il a fait le débarquement. Le type commence à me préparer des cocktails – moi je bois pas, alors je me force – et le soir la mère me prend en tête à tête et me demande :

— Are you financely independant ?

Et je lui réponds que je ne sais même pas ce que cela veut dire, je vis au jour le jour sans aucun projet.

— Because my daughter wants to marry you.

Ouais. Elle me fait comprendre poliment qu'elle ne laissera pas sa fille épouser un PAUVRE. Et tout d'un coup je me rends compte que JE SUIS PAUVRE. J'avais jamais eu conscience de ça. C'est vrai que je me suis jamais demandé si une fille était avec moi pour ce que je pouvais représenter, ou les avantages matériels quelconques. Mais j'avais jamais eu conscience que j'étais sous-développé financièrement.

Bon. J'ai rencontré cette fille le 27 août 82. Je me drogue plus. JE NE ME DROGUE PLUS. C'est fini. Je lis Jiddu Krishnamurti. Les théosophes. Henri Laborit. Arthur Koestler. Je suis bien dans ma peau. J'ai pas d'hépatite. J'ai pas le sida. J'ai perdu toutes mes dents, bon. J'ai plus une racine à moi, j'ai pas de fric pour payer le dentiste. J'ai du provisoire. BON. Et, je sais pas ce que je fais. Je fais rien. Je sais pas de quoi je vis. Mais je réponds au téléphone, je me promène dans la rue, je ne suis pas recherché, j'ai pas de dettes, enfin bon ça va.

Je rencontre à cette époque Filippo Teppista.

Un Romain petit-fils de peintre. Il a passé son adolescence humilié, parce que son grand-père vendait ses tableaux à des copains, qui ne payaient pas immédiatement. Comme il était pudique le grand-père, très artiste, il envoyait le petit-fils encaisser. Et on faisait passer Filippo par les portes de service. On le faisait attendre. Et c'était humiliant. Cela a fait naître en lui une véritable haine des collectionneurs. Et on sait que ce qui lie le plus les gens entre eux, c'est la haine.

Adulte, Filippo décide de mettre le feu dans les collections. De ridiculiser les collectionneurs. Et il a l'intention de m'utiliser comme caution morale pour faire ses mauvais coups.

Un jour, il m'achète un bronze de Modigliani – une tête de femme avec un certificat. Donc tout est correct. A l'époque cela coûtait 300 000 francs. Bon. Il me l'achète mais ne me dit pas qu'il l'a gagé pour 300 000 dollars chez des Cubains à Miami. Quand les Cubains ont voulu récupérer l'argent – parce que bien sûr il remboursait pas – on leur dit que cela ne vaut pas 300 000 dollars mais 50 000 (c'est-à-dire l'équivalent grosso modo des 300 000 francs). Donc Filippo prend contact avec moi, me dit :

— Ah Gérard je te préviens c'est des Cubains ça va aller mal…

— Filippo, je lui réponds, ça va être très simple avec tes amis cubains. Je vais leur dire que l'objet est bon, que je te l'ai vendu 300 000 francs et que je veux bien le récupérer pour les 300 000 francs. Et ensuite tu iras t'expliquer avec eux.

C'est là où il s'est rendu compte qu'il n'allait pas m'entraîner très loin. Lui aurait voulu m'entraîner à refaire, à reproduire cela, partant du principe qu'il allait me faire monter, selon son expression, "dans le train du luxe". Et qu'une fois monté dans le train du luxe il était impossible d'en redescendre. Alors, comment il s'y était pris ? Il m'avait fait envoyer un billet d'avion pour le rejoindre en Floride, à Key Biscayne. Il était venu à l'aéroport dans une Rolls-Royce décapotable, en me laissant la clé. Je suis arrivé dans une maison sans aucun meuble. Les années quatre-vingt-dix. Et j'arrive dans cette belle maison au bord d'un canal vide, où il y avait quand même quelques meubles dans ma chambre – des meubles loués.

En arrivant, donc, j'avais faim. Et dans le frigo il y a : un tiers de bouteille de champagne avec une petite cuillère sur le goulot pour que les bulles ne s'échappent pas trop vite, un petit morceau de gorgonzola et puis la moitié d'un paquet de riz, dans un placard. Filippo m'a fait un risotto au champagne et au gorgonzola, j'ai encore l'eau à la bouche quand j'y pense. Filippo était un garçon qui avait une culture de l'histoire de l'art et de la peinture bien supérieure à la mienne, qui était un grand cuisinier, et jouait de la guitare comme Manitas de Plata. Et qui, en 1992, devait avoir la petite trentaine. Bien. Donc on est à Miami ensemble, et un jour il disparaît. Pendant trois jours. Je m'inquiète, mais il finit par réapparaître et me dit :

— Je me suis marié avec une strip-teaseuse canadienne.

— Mais pourquoi tu t'es marié ?

— Je sais pas... t'as jamais eu envie de boire un café ?

Tu te rends compte ? Il était allé boire un verre dans un bar où il y a des filles qui dansent, EXO-TIQUE, et il l'avait épousée. Il m'avait répondu avec son accent italien : "Mah tou a jamaizou ennvie dé boirre une café ?" Bien. Ensuite il m'a emprunté des tableaux dont j'étais le proprié-taire, il les a vendus, il m'a donné des chèques qu'il savait être de mauvais chèques, et moi qui n'avais jamais eu d'ennuis avec mon établissement – les seuls ennuis que j'ai eus dans ma vie c'est grâce à lui. Le marché de l'art permet ce genre de choses. On n'a jamais de documents signés. On ne passe pas par des notaires, des avocats, je veux dire c'est toujours un métier de maqui-gnons – moins maintenant, mais à l'époque ! Il le savait bien. Et puis l'histoire du Modigliani lui a bien fait comprendre que moi, il ne m'au-rait pas ! Dans ses petites combines. Et puis nos rapports ont été terminés.

Dix ans plus tard, je suis au-dessus de Forte dei Marmi, où il y a les plus grands fondeurs de bronze d'Italie. Pas très loin de Carrare, dans la montagne. Je sors d'un hôtel comme il peut y en avoir en Italie, des demeures familiales où on loue des chambres. Je suis donc à Pietrasanta, c'est-à-dire au milieu de nulle part, la nuit, et qui je vois à deux cents mètres devant moi ? Filippo Teppista ! Je ne sais pas pourquoi je lui dis "Bonsoir EZIO". Au lieu de lui dire : "Bonsoir Filippo."

Il a été tellement effrayé que pendant des semaines, j'ai reçu des coups de fil de copains à lui qui me téléphonaient pour me demander : "Mais pourquoi tu l'as appelé Ezio ?"

Ce type avait la haine, doublée du mépris des collectionneurs. Et puis il avait pris des habitudes fastueuses. Un jour au Meurice, un jour au Plaza, le lendemain au Ritz, un jour chez un copain, l'autre jour dans la rue. Je l'ai vu pleurer aussi. C'était un personnage attachant. Un type qui pouvait rentrer n'importe où, arrivait toujours à coller une professionnelle dans le lit d'un joueur de polo argentin, en disant : "C'est une copine elle a craqué sur toi." Bim bam boum. Et le lendemain matin, le type lui faisait un chèque, en lui achetant un faux Léger ou un faux Chagall. Pas des huiles, des petites gouaches, qu'il avait eues de sa famille... etc. Il n'y a jamais d'histoires de sang, toujours des escroqueries plus ou moins minables, en espèces. L'histoire de l'art aura été faite de petites histoires qui sont fausses pour la plupart. »

Ils recommencèrent le lendemain, épuisés. Il ne devait pas être loin de sept heures du soir. L'après-midi avait filé quelque part. Mais ils ne savaient pas où. Ils ressentaient tous les deux le besoin de se retrouver seuls loin l'un de l'autre. Un écœurement de fatigue, de cigarettes, de café et de paroles. Silencieusement, Denise prit toutes ses cassettes, les rangea dans son sac.

En sortant de chez Gérard, elle n'avait pas le courage de prendre le métro, à cause de la chaleur.

Elle attendit longtemps un bus, abrutie par la journée qu'elle venait de passer, sans réfléchir. Juste respirer, avaler sa salive, sentir le sang battre dans les veines et attendre. Ne plus penser à Gérard. Tous ces noms qu'elle ne connaissait pas, tous ces gens qu'elle ne rencontrerait jamais. Calée contre la vitre, elle repensait aux vacances qu'elle passait à Paris pour voir son père, après le départ de Matilda à Périgueux. Ce n'était jamais l'été non, mais souvent au printemps et pour les vacances de la Toussaint. C'était la fin des années quatre-vingt, ils montaient sur les promontoires arrière des bus, pour aller flâner sur la petite ceinture, remonter les rails de train couverts d'herbes. Un après-midi, ils avaient doublé Jean Marais, dans une 504 bleu ciel boulevard de Sébastopol, le même jour où Klein avait demandé si on vendait de la drogue au drugstore, parce que c'était normal de poser cette question-là. Avec les amis de Nick, ils allaient souvent au cinéma *Le Denfert*, voir des films en version originale, Denise se souvenait de l'œil ouvert d'Ivan le terrible, et de la ruse du renard d'Alexandre Nevski. Nick aimait aussi le théâtre « en matinée » – alors que c'était l'après-midi –, il avait emmené les enfants voir Michel Bouquet dans *L'Avare*. Ils s'étaient habillés pour l'occasion. Au goûter, Nick faisait « classe », et donnait de grands préceptes pour la vie. Se méfier de l'ennui. Savoir reconnaître si une femme a de belles jambes, aux trois creux : cheville, tibia, genou. Ne pas faire pipi dans les sanisettes Decaux, préférer se cacher entre deux voitures. Avec Patrice, ils aimaient se rendre à la serre tropicale du Jardin des Plantes, mais n'allèrent plus jamais au zoo de Vincennes, car Klein avait été déçu par les loups qui ressemblent à des chiens tristes. Patrice emmenait les enfants scruter les squelettes dans les vitrines de la rue de l'Ecole-de-Médecine, avant de manger des strudels à la pâtisserie viennoise. Au moins une fois par an, ils allaient sur la tombe de Jim Morrison, parce qu'un copain de Nick l'avait soi-disant connu. Il leur avait appris la chanson de Mary Poppins, *« C'est le morceau de sucre qui aide la médecine à couler »*. Ce même copain les avait invités à déjeuner dans une voiture du Pub Renault des Champs-Elysées, le jour où ils croisèrent Yves Montand devant le Louvre en imperméable, comme sur sa pochette de disque. Denise pensait alors que cette vie-là durerait pour toujours. Elle croyait que c'était cela, le monde que lui construisaient Patrice, Matilda, Nick et tous les autres. Mais elle se trompait. C'était la génération précédente qui avait bâti tout cela. Ses parents en avaient eu l'usufruit, mais n'avaient pas pensé transformer la jouissance en héritage. Tous ces êtres idolâtrés, écrivant sans relâche leurs propres mythologies depuis la fin des années soixante, voulaient que le monde cesse avec eux, dans l'éternité de leur adolescence. Cette descendance gâtée, amoureuse d'elle-même, couvée par une génération écrasée par la guerre, n'avait pas su quoi faire de la suivante. Leurs enfants n'avaient lieu d'être, sur les photos de leur infinie jeunesse.

Denise pouvait citer tous ces moments de son enfance, parce qu'ils les convoquaient souvent, avec son frère et son père. Avec le temps, les souvenirs étaient devenus des légendes. Mais elle se demandait comment Gérard pouvait se rappeler la chemise qu'il portait, un jour qu'il avait pris l'avion depuis la Côte d'Azur, trente ans auparavant ? Comment pouvait-il décrire le dîner que lui avait préparé un Italien, un jour, dans une maison en Floride ? Comment vit-on, avec une mémoire pareille ?

En sortant du bus, Denise aperçut l'immense cheminée de Grenelle, comme un phare du front de Seine. Epurée et blanche, elle pointait le ciel. Il était l'heure du rendez-vous avec Bruno. Il devait l'attendre, au bar de l'hôtel. Elle l'imaginait assis, ses pochettes Toyota posées sur le siège à côté de lui, pianotant sur son téléphone portable. Mais elle était incapable de le rejoindre. Elle prit la direction de la tour Totem. Dans l'ascenseur, elle respira lentement et agréablement, elle n'avait plus peur.

En arrivant à l'appartement, il n'y avait personne. Ça sentait fortement le tabac, et une odeur de nourriture aussi. Matilda n'avait pas laissé de mot concernant son absence. Elle était partie à la piscine, elle avait fait des rêves aquatiques dans les vapeurs de sa sieste, des songes d'eau, de sphères lumineuses liquides et rebondissantes, le bruit assoupi d'un bouillon frais lui avait donné l'envie d'aller nager. Elle avait trouvé, au fond d'un placard oublié, un maillot de la propriétaire, à l'élastique distendu, râpé au niveau de la poitrine et dont elle avait épousseté les petits grains de sable qui étaient tombés sur le parquet. Matilda se souvenait de la piscine Deligny, qui s'était noyée en face de l'Assemblée nationale, elle y était allée avec Zizi après son arrivée à Paris.

Denise ignorait où Matilda se trouvait. Elle se traîna dans la cuisine, le réfrigérateur était vide, Matilda n'avait pas fait de courses, comme d'habitude. Sa mère avait la tête en l'air, mais elle était de si bonne composition, qu'il était impossible à ses enfants de lui faire le moindre reproche. Matilda, au fond, était une adolescente. Comme il est impossible d'avoir le même âge que ses parents, il avait bien fallu que les enfants s'adaptent, dans un sens ou dans l'autre. Pour l'heure, Denise devait se mettre au travail le plus vite possible, afin de venir à bout des trois heures de cassettes qu'elle avait dans son sac. Elle se mit à la fenêtre, pour regarder la dalle Beaugrenelle, pavée de motifs dont on ne perçoit le dessin que depuis les étages élevés. Elle voyait des hommes marcher. Denise se dit que Bruno pouvait être l'un deux. Il était si particulier – elle n'avait jamais rencontré un homme comme lui. Paris était là, devant elle. Immense. Monochrome gris.

Vu de haut, rien ne semblait à sa place. Denise regardait la tour Montparnasse, au loin, toute noire et toute seule. Elle semblait dire je vous emmerde au reste de Paris, avec l'autorité des laids. Denise pensa au monolithe de *2001* dont Patrice parlait toujours. Les toits de Paris lui rappelaient les monochromes natures mortes cubistes, gris, beiges et noirs dont Matilda affichait des posters dans le salon à Périgueux. Parmi eux, le Louvre lui parut immense et rectiligne, comme un trait de règle au centre du tableau. Rien n'était à la bonne taille. En même temps, il y avait une morosité indolente dans ce paysage, quelque chose de figé et d'inhabité – ou peut-être était-ce l'humeur de Denise. Elle trouva l'Arc de triomphe dérisoire, et la grande roue des Tuileries lui plut dans sa rondeur suspendue. Il y avait tellement d'églises dans Paris. Elle cherchait le toit de l'immeuble où ils avaient vécu, enfants, avant l'exil à Périgueux – dans le petit appartement de la rue Blanche, près de Pigalle et des sex-shops. Elle chercha le toit de l'immeuble de Gérard, c'était si loin, elle se demandait s'il était encore en train d'y travailler et pensa qu'elle ne savait pas, en vrai, où il habitait. Denise aimait les immeubles tranchés comme des parts de gâteau. Au loin, derrière les vagues minérales des toits d'immeubles, le Sacré-Cœur disparaissait presque dans les nuages de chaleur et de pollution, la tour Eiffel lui sembla fragile et toute petite et le cimetière Montparnasse aussi large qu'un arrondissement – formidable quartier des morts.

Après quelques minutes, le ventre vide, lourde comme un linge mouillé, suant à cause de la température, Denise se retira de la fenêtre. Elle regarda la trace de ses doigts chauds sur la vitre, et celle de la buée formée par le souffle de ses narines. Elle se posa devant l'ordinateur, pour commencer les retranscriptions. La voix de Gérard, sortant de l'appareil enregistreur, bourdonnait dans ses oreilles, lointainement, guidant ses pensées qui s'évadaient, rebondissant sur un mot glané çà et là, comme lorsqu'on se retrouve en bas de la page d'un livre, en se rendant compte que l'on a lu les mots sans les lire vraiment, en pensant à autre chose. Et qu'il faut tout reprendre.

« Il y avait ce type qui faisait des gouaches de Fernand Léger – et de Miró – à la pelle. Mais il avait la délicatesse d'inscrire "faux" derrière. Les gens à qui il les vendait les faisaient encadrer. Et ces mêmes gens les revendaient ensuite avec de vrais certificats – parce qu'il arrivait à blouser les experts ! Il se levait à midi, prenait son petit déjeuner, passait tout l'après-midi au champ de courses, allait ensuite au cercle, passait chez son tailleur et puis exécutait... à la commande. Je l'ai vu reproduire des peintures de Monet plus vraies que des Monet. Ce qui le motivait ? L'amertume. La volonté de reconnaissance se transforme vite en aigreur et en destruction. Il a aussi existé un prince italien – comme tu le sais les vrais princes sont italiens, les gentlemen sont anglais, ils ne peuvent pas être américains – qui a mis cinq ans à restaurer une vierge au rocher de Zurbarán très endommagée.

171

Elle a passé tous les tests : rayon, carbone 14, datation… comme une lettre à la poste. Avec fabrication des pigments. Utilisation des mêmes brosses. Et puis perçant les secrets. Mais il était très âgé, et son savoir, il ne l'a pas transmis. Ou s'il l'a transmis, j'ignore à qui. On a découvert, il y a moins de trois semaines, que sur la Joconde, Léonard de Vinci avait utilisé des glacis invisibles pour donner cette sorte de bleuté. C'était de l'alchimie, à ce niveau-là. C'est pas un Francis Bacon. Avec tout son talent, Francis Bacon peignait sur la toile sans la préparer, alors que la préparation des toiles est fondamentale pour la peinture classique. Et comme à l'aquarelle on ne peut pas avoir de repentis, il fallait que ça sorte du premier jet. Mais disons que, devant les peintures de Fra Angelico, même si on n'est pas croyant, on peut se poser la question de savoir si c'est un être humain qui a peint – ou si c'est pas de l'ordre du divin. Cela apparaît IMPOSSIBLE à produire. On est LOIN de la peinture contemporaine. Pourtant, tout ce qui a été fait à la main peut être refait à la main. Mais certaines choses demandent des talents bien supérieurs à ceux, déjà grands, des imitateurs. Les musées sont remplis de copies, dont on dit : "c'est extraordinaire" ! Parce qu'on ne sait pas voir les légères différences. Un peintre comme Martial Raysse, qui était le grand pop français (au point que les Américains ont toujours dit qu'il était né en France par erreur), se balade avec sa femme dans les musées, les collections, recopie des œuvres classiques et

172

rajoute des aspects actuels au milieu des œuvres classiques. C'est une démarche intéressante, à la limite "écologique". Mais ça reste de la peinture contemporaine.

Frédéric Pardo, lui, avait des rendez-vous secrets à Amsterdam pour parler de l'ambre liquide. Il préparait ses toiles avec de la colle de peau de lapin, et peignait à la tempera. Cela aussi relevait de l'alchimie. Du sacré. Et quand on lui demandait : "Quel est le peintre qui te touche le plus ?" Il répondait : "Caspar Friedrich". Caspar David Friedrich, la grande peinture romantique. Ah oui. Oui, bien sûr. Mais si aujourd'hui tu parles avec un marchand de tableaux contemporains, il va te répondre : "Mais qu'est-ce que vous perdez votre temps avec cette MERDE romantique !" Et puis ce sont des œuvres qui s'exécutent sur des années. Ce ne sont pas des "productions", un peintre ne fait pas dix tableaux dans l'année. C'est une histoire de temps encore, de rapport avec le temps. Et de préoccupations personnelles. Quand on demande à Damien Hirst pourquoi c'est son assistante qui peint un morceau de quelque chose, il répond : "Parce qu'elle le fait mieux que moi !" Et les soudures de Jeff Koons sont faites par la NASA ! Parce qu'ils font des soudures invisibles extraordinaires qui tiennent sur le temps. Mais se dire qu'il y a des assistants de Damien Hirst, qui voyagent à travers le monde en first sur des longs courriers, pour aller remplacer le formol dans des œuvres, qui PUENT.

Tu t'imagines les conservateurs du prochain siècle, quand ils devront restaurer les œuvres ? Ça donne envie de rire ! Enfin aujourd'hui, la qualité d'un artiste contemporain c'est son E-XI-GEN-CE. N'est-ce pas ? Mais j'ai croisé dans ma vie des œuvres de tout petit format qui étaient bien plus spectaculaires qu'une œuvre qui avait demandé le travail d'un grutier pendant soixante-douze heures. Ou de métallurgistes. Jeune, j'ai rencontré des peintres qui m'inspiraient de l'admiration. Mais leur première qualité c'est d'être des ordures ! Ce ne sont pas des gens qu'on aimerait avoir comme amis ! Ce sont des SALAUDS. Il semblerait que la première qualité d'un grand artiste ce soit d'être un enculé. Et qu'il n'y a pas de grande œuvre sans ça. A presque soixante ans, je me dis toujours en riant – mais je ris jaune – qu'un jour, j'achèterais des peaux de dos de peintre pour m'en faire des souliers sur mesure. Un seul m'a marqué, par sa présence, par sa morale, par son éthique et par les preuves qu'il en donnait : c'est André Masson. Beau-frère de Georges Bataille. Ami de Michel Leiris. Dans des milieux où l'esprit soufflait, pas le marketing. C'est quelqu'un qui ne s'est jamais préoccupé de sa "cote". Un Jackson Pollock, s'il n'était pas allé voir les drippings de sable d'André Masson à petit format, n'aurait jamais fait du dripping sur des toiles monumentales. Les drippings de Pollock n'existent pas sans le travail d'André Masson. Voilà. Et d'ailleurs il l'a reconnu lui-même et c'est normal dans la mesure où on a tous des parents.

Au début des années soixante-dix, j'ai rencontré aux Etats-Unis un vieux monsieur qui avait connu Pascin, quarante ans auparavant. Il me raconte cette anecdote : un jour, il croise Pascin dans New York, vêtu d'un manteau qui allait de la gorge jusqu'aux chevilles. Pendant les quelques minutes où ils discutèrent sur le trottoir, Pascin avait sa main droite dans la poche de son manteau. Au moment de se dire au revoir, Pascin lui a offert son portrait dessiné à l'aveugle. Jamais aujourd'hui un artiste n'offrirait le moindre coup de crayon à qui que ce soit. Allons, ce serait lui prendre une livre de chair ! Grigori Perelman, le mathématicien russe qui a résolu la conjecture de Poincaré, a eu droit à un million de dollars. Mais il n'est pas allé chercher son prix. Pourquoi ? Parce qu'il ne se sent pas "concerné". Bon. J'en parle avec un bon ami qui a fait Normale sup mathématiques, qui me répond : *"Mais enfin Gérard, comment tu pourrais te mettre à la place de ce type. Il est ailleurs. Il a quarante ans, il vit chez sa mère, la conjecture de Poincaré, Gérard, tu n'as aucune idée de ce que c'est, je vais pas te l'expliquer. Mais un type qui résout ça n'est pas en train de se demander ce qu'il pourrait faire avec un million de dollars. S'acheter une maison ? Consommer ? PAYER DES TRUCS ? Enfin !"* Certains êtres humains sont notre humanité. C'est PAS Gérard Rambert qui fait du commerce pour partir en vacances. Je résume mais enfin c'est la réalité. Ceux qui font avancer l'humanité ne sont pas commerçants. Ni guerriers. Donc je veux bien qu'on enquête sur la cause de la mort réelle d'Alexandre le Grand, les motivations de Napoléon et de Jules César. Mais en réalité, on en revient toujours à la même chose : ils avaient des dettes. Ils avaient besoin de pognon et sont allés le voler. Jules César était un type couvert de dettes qui était obligé de conquérir des territoires de plus en plus vastes pour pouvoir faire face. Il faut quand même pas chercher midi à quatorze heures. On a toujours affaire à des déséquilibrés.

Pascin est cet exemple au XX$^e$ siècle d'homme libre, c'est-à-dire n'ayant rien à vendre. A quinze ans il découvre le corps pendu du comptable de son père – un grand marchand de céréales à Vidin en Bulgarie. Le père a utilisé son droit de cuissage sur la fiancée du comptable la veille de son mariage. De déshonneur, le comptable se pend sur le bureau du père. Pascin fuit et il arrive à Sofia, la capitale de la Bulgarie. Là, il rencontre la "Madame", la grande Maquerelle en chef, qui se prend d'affection pour lui et l'installe dans le plus beau bordel de la ville. Il prend les filles pour modèles et parallèlement trouve un travail de dessinateur satirique dans un magazine qui s'appelle *Simplicissimus* à Munich – l'équivalent de ce que serait aujourd'hui *Le Canard enchaîné*. Son père lui interdit d'utiliser son nom, Pincas, dont Pascin est l'anagramme. Né Julius Mordecai Pincas, il devient Jules Pascin, et quand il vient à Paris, il est attendu à la gare Montparnasse par des centaines d'artistes qui veulent le recevoir. C'était l'époque où tous les artistes se retrouvaient dans les académies, dans les ateliers, aux terrasses des cafés de Montparnasse comme « Le Dôme », « La Coupole » ou « Le Select ». Un tiers des gens assis parlaient français, les deux autres tiers ne parlaient que des langues étrangères. LA XÉNOPHOBIE N'ÉTAIT PAS À L'ORDRE DU JOUR. Il faut que tu saches que lorsque Pascin se suicide en 1930, c'est le jour de son vernissage à la galerie Pierre Loeb, angle rue des Beaux-Arts et rue de Seine. Le jour des funérailles, toutes les galeries de Paris ont fermé en signe de deuil. Tu essayeras de me retrouver une chose pareille ailleurs. Un type généreux qui invitait à déjeuner, à dîner. Et des artistes arrivaient chez lui, à qui il disait : "Pique-moi des dessins qui sont en dessous de la pile parce que ceux qui sont au-dessus je viens de les faire." Voilà. Il était pillé, il était volé, il savait tout ça. C'était pas quelqu'un qui se demandait ce qu'il devait faire pour être apprécié. En 1979, en Bretagne j'ai rencontré une Martiniquaise à la retraite qui avait été danseuse au Palace. Elle avait ensuite épousé un postier breton. A quinze ans, cette femme avait été modèle pour Pascin, donc mets-toi à ma place. J'arrive en Bretagne et je vois une énorme Martiniquaise, entourée de cochons avec des bottes en caoutchouc – tu vois dans la merde – et c'était Simone. Je connais les portraits de Simone. Et C'EST SIMONE. Elle m'a parlé de Pascin comme d'un type bienveillant, gentil, aimable, qui fait pas poser ses modèles, qui les prend au repos. Certes les modèles de Pascin ne sont pas "beaux" contrairement aux modèles de

177

Kisling ou ceux de Foujita. Quand on lui demandait pourquoi il utilisait des mochetés pareilles ? Il répondait : "Mais elles sont modèles ! Elles ne sont pas belles mais elles doivent bien vivre." Tu remarqueras que les nus de Pascin sont d'une pudeur extrême, on n'est jamais excité devant un nu de Pascin. Il ne parle pas au petit cochon en nous. Il n'a rien à vendre. C'est les marchands et les collectionneurs qui lui achètent. C'est pudique mais ce n'est pas charmant. Pascin n'est pas Van Dongen. Ce n'est pas un mondain. Même s'il connaît les mondains c'est pas un mondain. Pascin ne respecte pas ce que l'époque respecte. C'est un libertaire – pas un libertin. Quand en 1923 il commence cette façon de peindre dite "nacrée" parce qu'il y a des couleurs qui ressemblent à l'intérieur des huîtres, utilisant l'huile un peu comme de l'aquarelle, très délayée avec des jus. C'est très léger, très aérien.

Si tu me demandais est-ce que tu aurais voulu être Pascin ? Non. Parce qu'il y a trop de douleur. Mais j'aurais aimé passer des nuits avec lui. Et voyager à ses côtés. Et puis il vit en bande. Moi j'aime pas vivre en bande parce que après tout, quand je suis seul, c'est pas la plus mauvaise compagnie. »

Pendant que Denise s'endormait, la tête dans son coude, le dos courbé, comme lorsqu'elle était une petite fille, Matilda traversait Paris à pied pour se rendre à Pontoise – c'était la seule piscine ouverte aussi tard. L'odeur de javel précédait l'apparition de sa façade, en briques rouges, derrière le boulevard Saint-Germain. La sensation du maillot de bain porté par une autre peau était désagréable, tout comme celle du bonnet acheté dans le distributeur automatique à l'entrée de la piscine, le bonnet qui colle et claque entre les doigts. La lumière tombait sur la verrière, charpente métallique qui surplombe le bassin et Matilda se sentait soudain toute petite, dans sa cabine, derrière une des cent soixante portes bleues et blanches, impressionnée par l'architecture d'un idéal sportif de l'entre-deux-guerres qui lui rappelait les affiches de son enfance, céramiques, géométries et fer forgé.

Matilda nageait à l'intérieur d'un écrin art déco en lapis-lazuli. Elle pensait au commandant Cousteau, y réalisant l'année des premiers congés payés des essais de scaphandre. Elle se rappela aussi le sous-commandant Marcos et le Chiapas, pour lequel elle avait milité un moment, c'était il y a quelques années. Bruits de respiration. Bulles blanches et molles. Matilda se souvenait que pour Patrice, la piscine était un objet « cinématographique ». Elle aurait aimé être l'héroïne d'un film, avoir vingt ans de moins. Nager avec un corps fin sur lequel l'eau glisserait, comme une huile légère. Etre avec Burt Lancaster, devenant fou sous l'orage. Avec Dustin Hoffman sous le soleil de Madame Robinson. Elle porterait le peignoir vert de Marilyn, du rimmel coulerait de ses yeux bleu marine comme Isabelle

Adjani. Matilda aurait aimé être actrice de cinéma, même si à la fin, elles deviennent toutes folles.

Matilda se souvenait de Paris pendant la canicule. Rupture des ventilateurs dans tous les magasins. Place de l'Hôtel-de-Ville, les enfants jouaient dans les jets d'eau – comme font les chats, attirés et fuyants tout à la fois. Au supermarché, les gens vivaient au rayon frais. Le béton collait aux chaussures et les bougies fondaient dans les placards. Des naïades de vingt ans, en maillots de bain multicolores, se baignaient parmi les odalisques noir et or de la fontaine de la Concorde. L'obélisque brillait comme du mercure. On entendait les voisins faire l'amour – de torpeur. Ce n'était pas un bon temps pour mourir, les funérariums de la capitale étaient complets – une morgue temporaire avait été improvisée aux halles réfrigérées du marché de Rungis. Mais Chirac s'en foutait pas mal, il était en vacances. On pensait à *Soleil vert*, pas seulement à cause des vieux, mais parce qu'un voile verdâtre était tombé sur la tour Eiffel. Les touristes faisaient des bains de pieds dans les bassins de la pyramide du Louvre. Et les poubelles suintaient. Sur les panneaux d'affichage électroniques des rues de Paris on pouvait lire : « *Pour rechercher une victime parisienne de la canicule, la ville de Paris a mis en place un numéro vert.* » Mais à la fin de l'été, en région parisienne, c'était encore trois cents corps non réclamés par les familles qui attendront une inhumation, dans des camions frigorifiés.

A son retour, il était presque onze heures, le soir était tombé sur la dalle Beaugrenelle et Matilda trouva Denise dans un sommeil précaire, la tête sur le bureau, face à son ordinateur. Elle prit sa fille avec elle, la traîna jusque dans son lit, et se coucha à côté d'elle, se souvenant de Denise dans son berceau minuscule, après sa naissance – elle la regardait respirer des nuits entières.

Denise se réveilla vers six heures du matin, paniquée de ne plus comprendre où elle était, avant de voir la silhouette de sa mère à côté d'elle. Elle pensa à Bruno qui l'avait sans doute attendue. Il aurait fallu laisser un mot d'excuse à l'accueil de l'hôtel. Elle pensa à la vieille secrétaire, qui l'avait appelée, d'une voix rauque de nicotine, pour lui réclamer l'argent de la maison d'édition. Elle pensa aux retranscriptions qu'il restait à faire, elle s'était endormie avant la fin du travail. Il fallait tenir, elle aurait toute la fin de l'été pour dormir. Mais cette nuit forcée lui avait fait du bien, elle avait quelques heures devant elle, avant son rendez-vous avec Gérard, après le déjeuner.

Ils reprirent le récit là où ils l'avaient interrompu la veille.

« Au départ, je voulais faire mon service militaire au 47e bataillon de chasseurs alpins à Bourg-Saint-Maurice. Parce que je skie comme je marche. Le jour où je reçois ma feuille de convocation pour les trois jours, au château de Vincennes : j'explose de joie. A la fin de la journée de tests, on est deux cents en ligne. La psychologue passe, monte et redescend l'allée. *"Si quelqu'un veut me parler faites un pas en avant."* Elle monte. Elle descend. Elle monte, elle descend. Personne ne fait un pas en avant. La pauvre ! Alors je fais un pas en avant. Elle me reçoit, je bavarde avec elle quarante-cinq minutes et je lui dis combien je suis heureux de faire mon service. Elle écrit quelque chose sur un papier qu'elle met dans une enveloppe et me la tend : *"Allez voir maintenant l'officier recruteur."* Donc je vais avec mon enveloppe voir l'officier recruteur, lui expliquer que, ce que je veux faire plus spécialement chez les chasseurs alpins, c'est m'occuper des clubs de chasse qui tomberaient en montagne, pour leur montrer comment on fait un IGLOO. Comment on s'en sort en montagne. Parce que je sais EXACTEMENT ce que je veux faire. L'officier recruteur ouvre l'enveloppe, me regarde, regarde l'enveloppe, me regarde, regarde l'enveloppe, prend une carte, un tampon. BING.

— Exempté de service.
— Qu'est-ce que ça veut dire ? je lui demande.
— Ça veut dire qu'en cas de conflit, vous compterez les cuillères.

Et aujourd'hui encore je me demande : pourquoi ? Je n'ai jamais su. Et je regrette d'avoir fait ce PUTAIN de pas en avant. J'aurais voulu faire exprès je ne l'aurais pas réussi. JE TE JURE.

Donc je ne fais pas mon service et je pars à Londres.

A ce moment-là, mon père a des associés banquiers qui créent le premier fonds d'investissement d'œuvres d'art coté à la Bourse à Zurich. Ils ont des bureaux à Londres. 140 Park Lane. Le dernier immeuble, tout en haut. Le directeur de cette boîte cherche un homme à tout faire, un employé "discret".

On pense au fils d'Abraham.

J'arrive à Londres, à dix-neuf ans, avec l'Alfa Romeo du directeur, que je livre après l'avoir prise chez le concessionnaire en France. Elle est bleu marine, quatre portes. Il faut être attentif, la conduite à gauche, tourner à droite ; et puis en réalité je n'ai rien à faire, j'attends qu'on me donne des ordres ; je suis pas un type qui a des initiatives ! Bien. Ma vie à Londres est assez disciplinée, c'est-à-dire que je n'ai pas d'horaires particuliers le matin pour arriver, mais je suis toujours très habillé, en costume cravate. Biba ouvre, avec ce restaurant INCROYABLE au dernier étage, et j'y prends racine, à l'heure du déjeuner.

Lorsqu'il me téléphone, le boss ne me dit pas bonjour, ni au revoir. Il ne pose pas de question : il me dit ce que je dois faire. Je suis vraiment le "go for". Je suis son Cubain. Le temps passe, je me promène, je me balade, je regarde tout. Le patron est à Genève, Tel Aviv, Paris... il est pas là.

La journée je classe des documents, je vais chercher des tableaux, je me rends chez des encadreurs, des restaurateurs, je reçois un coup de fil le matin, on me dit : "Il y a une vente cet après-midi, on voudrait le numéro tant, tu peux aller jusqu'à tant." Et je vais lever la main en salle de vente en faisant croire que l'acheteur c'est moi. Voilà. Bon. Avant vingt ans j'ai goûté au bonheur indicible de vivre dans un endroit où je n'avais pas d'histoire personnelle. Pas de réputation. Grandes promenades à Londres, en voiture. Le soir je sors au Tramp. Au Vagabond. Jermyn Street, c'est très, comment te dire, c'est, chic, rock'n'roll, CHIC. Tu peux dîner dans la discothèque, et c'est plus jeune que chez Annabel's. Ok ? Si tu peux entrer. Parce que c'est privé. J'étais le troisième membre étranger à être admis dans ce club. Une actrice exilée m'avait donné une carte, elle était beaucoup plus âgée et je crois que ça l'amusait, un petit Français. Peut-être avait-elle dans l'idée de me présenter des copines avides de chair fraîche ? Mais je ne n'étais pas un garçon facile.

Dans ma chambre à coucher – on m'avait envoyé dans un studio qui servait de débarras – j'ai vécu avec des œuvres muséales, que je touchais, que je changeais de place. Une grande toile du douanier Rousseau, avec des singes et des oranges. Une cathédrale de Monet et une régate à Moret-sur-Loing de Sisley. Une loge de théâtre de 1872

BLEUE de Renoir. Des tableaux que tu ne vois jamais ! JAMAIS. Il y en avait partout. Partout. Partout, partout, partout, par terre, les uns derrière les autres ; il y avait pas de place ! C'était le studio du chauffeur, mais en réalité le chauffeur c'était Gérard. Le soir je prenais la Rolls, j'allais chercher mes copains de passage à Londres, je les emmenais au San Lorenzo – alors qu'on aurait pu y aller à pied ! Je conduisais une Silver Shadow, premier modèle, des années soixante-sept soixante-huit. Gris métal avec l'intérieur en cuir bleu marine. Tu t'imagines ! Un jour je vais chercher le gouverneur du Texas. Je n'ai pas de petite pancarte : j'ai vu une photo de lui, je le reconnais. "Monsieur Wesson, je suis chargé de vous accompagner, de vous déposer à l'hôtel." On bavarde dans la bagnole, il est TRÈS nature, je l'ai emmené déjeuner, chez Biba, je l'ai emmené au Tramp. Il n'a pas mis la main dans la poche et il a dit au patron, qu'il avait été ravi du jeune homme qui s'était occupé de lui à Londres. Tu vois. J'étais responsable de la voiture, de mettre de l'huile, de l'essence, qu'elle soit propre, je veux dire, je l'ai nettoyée la bagnole ! C'est l'époque où au Tramp il y avait Twiggy, Terence Stamp, David Bailey, Peter Sellers, Anita Ekberg, Rod Stewart, Jimi Hendrix. Les serveurs étaient tous habillés de la même façon : pantalon noir, chemise blanche, cravate noire, grand service, sofa, pouf, table ; piste de danse et si tu voulais manger un truc ils dressaient une nappe, des serviettes, de l'argenterie, etc. Il y

185

avait ce fameux endroit où on mangeait des sand-
wichs au concombre et aux champignons. C'était
l'Angleterre quoi. Chez Biba il y avait des pianos à
queue blancs et je mangeais des épaisses tranches
de jambon d'York, avec des rondelles d'ananas dessus. Le jambon était chaud et l'ananas aussi. J'adorais ça ! Tu sais qu'une des plus grosses fortunes
allemandes c'est un Turc qui a inventé le chiche
kebab à l'ananas ? Les Allemands étant les plus
gros consommateurs européens et mondiaux d'ananas en boîte. Tu savais ? »

Ça lui avait donné envie, le goût de l'ananas grillé
et du jambon. Denise avait faim et elle pressen-
tait que le frigo serait vide à Beaugrenelle. Dans
le métro en rentrant chez elle, Denise pensait à
Gérard. Il avait ouvert le col de sa chemise, à cause
de la chaleur, et elle avait vu sa peau en dessous,
sa peau qui pelait. Cela faisait des cloques, comme
lorsque quelqu'un a trop nagé dans la mer, sous
le soleil. Pour la première fois, elle avait remarqué
que Gérard n'avait pas de pomme d'Adam, donnant à son cou une grâce féminine. Patrice, lui, avait
une pomme très prononcée, qui montait et descendait d'un étage lorsqu'il parlait, saillante, surtout
lorsqu'il était très maigre à la fin.

En descendant à la station Charles Michels, elle
l'aperçut qui descendait les escaliers dans le sens
inverse. Bruno portait un T-shirt noir près du corps,
en col V, ainsi qu'un jean délavé aux cuisses, avec

une ceinture treillis intégrée et de nombreuses poches. Ils se retrouvèrent face à face, gênés de se voir ainsi. Denise bredouilla qu'elle était désolée de ne pas être venue au rendez-vous la veille. Il lui répondit que cela n'avait aucune importance, il n'avait pas attendu longtemps et avait rejoint des amis au bar de l'hôtel. Il insista sur ce point-là. A l'instant même, il allait dîner avec des collègues dans un restaurant mexicain à Bastille, puis avait l'intention d'aller en boîte de nuit vers les Champs-Elysées. Denise pouvait les rejoindre, ce serait l'occasion de boire enfin ce verre. Elle eut à peine le temps de répondre, qu'il lui fixa rendez-vous à minuit, à l'endroit où ils se trouvaient, devant le métro, il passerait la chercher en taxi. Denise acquiesça, et Bruno jeta un drôle de regard sur les boots noirs de Denise, qui remontaient sur sa cheville, sa veste d'homme en tweed à chevrons, malgré la chaleur, son short en jean, dont les poches blanches dépassaient sur les cuisses, et son vieux T-shirt orange délavé dans lequel elle avait passé la nuit. Alors Bruno précisa que c'était un lieu « select ».

Les bras chargés de courses, Denise entra dans l'appartement – elle avait acheté à la supérette de Beaugrenelle une boîte d'ananas en conserve, des tranches de poitrine fumée sous vide, un litre de lait et un paquet de céréales aux pépites de chocolat. Denise trouva Klein et Matilda devant des boîtes en plastique transparentes où nageaient quelques crevettes dans une sauce bien trop orange pour être honnête, et des barquettes en aluminium où étaient rangés des nems aplatis. L'odeur de nourriture réchauffée était forte et lui donna un haut-le-cœur. Matilda trouva sa fille pâle et fébrile, elle proposa de partager son repas. Klein était offusqué, il n'avait pas prévu de partager en trois, mais Denise n'avait plus faim et beaucoup de travail. Elle alla s'enfermer dans le bureau devant l'ordinateur. Elle avait encore une fois accepté l'invitation de Bruno, elle était obligée d'y aller. Mais la peur lui tordait le ventre. L'idée de se retrouver seule dans une voiture avec cet homme coupait sa respiration et rendait ses membres durs. Elle savait que cette fois-ci, il faudrait aller jusqu'au bout. Se laisser faire. Se laisser prendre.

Pour penser à autre chose, elle mit en marche la cassette et commença les retranscriptions. Il ne restait qu'une seule journée d'entretiens. Elle était presque au bout. Demain, elle le sentait, il lui dirait tout. Demain, elle saurait la vérité exacte.

Klein entra dans la chambre, avec cette tête des jours de blague, lorsqu'il sort son sexe de sa braguette, tout en continuant à discuter, de la façon la plus naturelle qui soit. Mais là, Klein était tout chose, parce qu'il avait reçu un appel pour Denise. C'était Gérard – Denise avait laissé le téléphone de son frère pour la joindre en cas d'urgence –, il fallait qu'elle le rappelle au bureau. Inquiète, Denise composa tout de suite le numéro de téléphone. Elle laissa sonner longtemps. Mais personne ne décrocha au bout du fil.

Vers onze heures, Matilda frappa timidement à la porte. Elle voulait savoir si tout allait bien, si Denise avait besoin de quelque chose. Klein regardait la télévision et elle voulait se coucher. Denise sursauta en songeant que dans une heure Bruno l'attendrait en taxi. Matilda, elle, voulait se réconcilier avec sa fille, à cause de l'autre soir, des histoires de Gérard Rambert. Depuis quelques jours, elle trouvait sa fille si étrange, qu'elle s'inquiétait. Et pour détourner la conversation du sujet Gérard Rambert, Denise avoua qu'elle avait rendez-vous avec un homme pour sortir en boîte de nuit. Voilà ce qui la rendait nerveuse. Matilda en fut tout excitée. C'était évident, simple, lumineux : sa fille était amoureuse pour la première fois de sa vie. Denise était encore vierge, elle ne sortait jamais avec des garçons, ne découchait jamais le soir, passait le plus clair de son temps seule, ou avec des amies de passage tyranniques, qui abandonnaient sa fille après lui avoir fait tourner la tête. Dès l'école primaire, il y avait eu Corinne, qui avait réussi à la convaincre de voler dans le portefeuille de Matilda de quoi acheter d'affreux poneys roses aux odeurs chimiques. Puis en sixième, Anne-Sophie, qui lui faisait porter son sac de sport et mangeait son goûter. Denise l'adorait d'un amour sans limite. Deux ans plus tard, Denise s'amouracha d'une fille handicapée. Les professeurs du collège l'avaient présentée à l'ensemble des élèves, afin de les enjoindre à redoubler d'attention et d'affection. Denise s'était immédiatement signalée, parmi les rares dévoués à tenir compagnie à la petite fille lors des repas de cantine. Matilda était fière et l'avait encouragée dans sa générosité. Mais la relation avait tourné au drame, car la petite fille usait d'une perversité psychologique épouvantable sur Denise : la méprisant, lui parlant avec méchanceté, et faisant marcher en elle une culpabilité qui s'était transformée en esclavage. Matilda dut intervenir auprès de la directrice du collège, avant que l'affaire ne s'envenime. Puis il y avait eu ce groupe de filles, l'année du bac de français. Elles avaient instauré un certain nombre de règles et d'étapes à franchir, pour être accepté dans leur cercle envié, des jolies filles bien habillées, qui organisaient des pique-niques au parc, des sorties au cinéma, invitées à toutes les soirées amusantes du lycée. Comment et pourquoi avaient-elles jeté leur dévolu sur Denise ? Quoi qu'il en soit, elles avaient décrété que cette fille bizarre serait la nouvelle recrue de leur bande, coqueluche marginale et distrayante. Pour vite rejeter de leur organisme le corps étranger qui n'avait pas réussi à s'intégrer. Enfin, l'année du bac, il y avait eu cette fille, Julie, une Russe excentrique que Denise avait voulu suivre en Russie, dévastée par le départ de cette amie, qui, pour la première fois de sa vie entière, n'avait pas voulu l'esclavagiser. A sa disparition Matilda avait dû soigner le cœur de sa fille, brisé par un immense amour. Quand elle regardait sa fille, Matilda voyait la petite chèvre de monsieur Seguin si courageuse et si fidèle. « *La chèvre de monsieur Seguin, qui se battit toute la nuit avec le loup, et puis, le matin, le loup la mangea.* » Si toute son adolescence avait été marquée par la présence forte de jeunes filles, les garçons, eux, brillaient par leur absence. Matilda en avait été inquiète, puis elle n'y avait plus pensé. C'était ainsi. Il viendrait bien, le temps où sa fille trouverait des bras à aimer. Pourquoi vouloir se précipiter ? Mais là, il ne fallait pas rater l'occasion et Matilda était prête à tout pour convaincre Denise de sortir.

Matilda ouvrit les placards des propriétaires en grand. Passa en revue les chemisiers de soie aux épaulettes eighties. Elle défit les housses plastiques, protégeant des fourrures anciennes, des manteaux en alpaga, des costumes d'hommes aux coupes soixante-dix, des robes cocktail qui n'avaient sans doute pas été portées depuis vingt ans et sentaient la naphtaline. Klein, intrigué par les bruits qu'il distinguait de l'autre côté de la cloison, rejoignit les filles et se mit à défaire les cravates avant d'essayer les talons hauts. Entraîné par son fils, Matilda se déshabilla, enfila une jupe en jean puis une blouse en jersey, des escarpins en faux crocodile, une tunique marinière, un gilet à pression Agnès B., une toque en fourrure de lapin, une chemise en coton avec des franges à frou-frou et enfin une veste en denim imprimée du drapeau américain. Au milieu des tissus froissés et des boîtes à chaussures éventrées, Klein décida qu'il viendrait avec Denise, après tout, il était son grand frère. Puis Matilda ajouta qu'elle aussi, dirait qu'elle était leur grande sœur. Denise, ne sachant que répondre, céda devant leur envie si forte. Matilda habilla Denise d'un chemisier léopard, aux boutons nacrés, dont l'immense col descendait jusque sur la poitrine. Elle lui expliqua qu'il ne fallait pas fermer les premiers boutons, afin que la dentelle de son soutien-gorge apparaisse subrepticement. Elle ajouta une minijupe noire fuseau, une ceinture large en élastique, qui se fermait sur une grosse boucle dorée, des escarpins brillants et une pochette en cuir qu'elle garderait à la main en guise de sac. Matilda, elle, se choisit une robe en velours noir au décolleté rond, qui faisait extraordinairement ressortir sa poitrine, une veste spencer rouge qui fit rigoler Klein et les boots en cuir de Denise. En sortant de la salle de bain, où Matilda les avaient maquillées avec les vestiges de produits presque périmés qu'elles trouvèrent dans des fonds de trousses salies par la poudre, des rouges à lèvres en ruine, des rognures de crayons noirs et quelques cendres de blush, Klein partit dans un de ses éclats de rire sonores, qu'il travaillait parfois pendant des heures, seul dans sa chambre, avant de leur demander combien elles prenaient pour une pipe. Matilda n'avait pas été aussi excitée depuis longtemps, elle avait soudain l'âge de ses enfants. Denise était si heureuse, entre sa mère et son frère, se déguisant comme des enfants – un des plus beaux moments de sa vie entière, pensa-t-elle.

Lorsqu'il les vit arriver tous les trois, Bruno pensa au mot « romanichel » que son grand-père utilisait souvent. Il n'en croyait pas ses yeux, et songea quelques secondes à demander au chauffeur de taxi de décamper rapidement. Mais au lieu de prendre la fuite, il sortit de la voiture, pour ouvrir la porte aux trois arrivants, puis s'alluma une cigarette, machinalement. Denise lui présenta son frère et « sa sœur », en lui demandant si cela ne le gênait pas qu'ils viennent aussi. De toute façon, Klein s'était déjà assis à côté du chauffeur de taxi, engageant la conversation sur ses origines asiatiques. Bruno, installé entre les deux femmes, ne pouvait s'empêcher de lorgner sur le décolleté de Denise, allant de la naissance de ses seins à celle de ses cuisses, tout en se demandant comment il justifierait la présence de ces trois êtres bizarres vis-à-vis de ses collègues qu'il devait rejoindre devant la boîte de nuit. Il transpirait une forte odeur d'eau de Cologne.

L'endroit était minuscule – ce n'était pas comme les boîtes de nuit que Denise imaginait, où une foule compacte se transforme en un immense sol mouvant, où les individus n'apparaissent que furtivement, au hasard d'un projecteur. Non, cela ressemblait plutôt à un bar d'hôtel sombre, avec de gros canapés en cuir rouge, une moquette épaisse et des miroirs brûlés sur les murs. Tout cela baignait dans une forte odeur de transpiration à laquelle ils s'habituèrent très rapidement. Bruno avait disparu. Matilda, Klein et Denise se sentaient soudain projetés dans un paysage flottant, que seul l'alcool leur permettrait d'intégrer. Plus ils s'enfonçaient dans le boyau d'un couloir étroit, filles et garçons se marchant dessus – c'était comme transpercer une chair composée de mille chairs différentes –, plus la musique se faisait distincte. Klein avait filé devant, tandis que Matilda tenait la main de sa fille bien serrée, comme lorsqu'elle était enfant, dans les galeries marchandes. Denise sentait des cuisses contre ses cuisses et les épaules s'entrechoquaient dans des odeurs liquides de corps – elle fut traversée par une sensation de froid et un frisson d'angoisse. Matilda, elle, sentait s'ouvrir les pores à la surface de sa peau, de petites gouttelettes qu'elle reconnaissait bien pour les avoir connues il y a longtemps, la sécrétion d'un plaisir chaud et excitant.

Les pulsations du dance floor se firent plus précises, Matilda reconnut ce morceau de sa jeunesse, le Roland CR-78 jouait une percussion de bois, qui faisait battre le cœur en accéléré, avant que la batterie ne pulse sur le rythme cardiaque. La guitare déclenchait un mouvement ondulatoire, une bille survoltée qui prenait du cœur au cerveau, et du cerveau au cœur – à vous briser de joie. Et la voix, aiguë, éblouissante, vous coupait le souffle comme un cutter, racontant son histoire triste dans un son disco, d'un amour formidable, qui s'était transformé en cœur de verre, avec la joie vive des humiliés, les yeux mi-clos de l'orgasme. Puis la voix se taisait, et l'attente faisait descendre le pulse, au creux des reins, on attendait que ça éclate, comme un rire après une gifle, mais au lieu de ça, la voix reprenait et vous emportait, dans une ronde infernale, ce n'était plus des battements de cœur, non, mais une respiration qui se répandait dans les jambes comme si vous avaliez une ampoule électrique, comme si vous dansiez obscurément dans une lumière artificielle – et la fille de la chanson vous rappelait, parce que vous étiez perdu en elle, vous rappelait à la surface, avec la violence douce d'une pulsion sexuelle.

Denise aperçut Klein, assis sur un large pouf en velours pourpre, devant une table remplie de seaux oranges, de verres empilés, de bouteilles de jus de fruits et de vodka. Il fit un signe à sa sœur, pour qu'elle le rejoigne, à la table de jeunes filles habillées de rouge à lèvres, fourrées en lapin, portant des diadèmes d'impératrices sur leur cheveux noirs et brillants. Il fallait jouer des coudes, car sur le dance floor des poupées en colère dansaient entre elles, Matilda avait lâché la main de Denise, et s'était assise sur le canapé, comme elle était partout, comme chez elle.

Denise se fit une place au milieu de ces gens que Klein avait rencontrés – les connaissait-il un quart d'heure auparavant, rien n'était moins sûr. Le type à sa droite était un chanteur célèbre sur le moment – il s'appelait Maxime et portait un costume bleu marine près du corps, une chemise blanche et une cravate en laine. Il se pencha sur Denise comme si elle n'existait pas, pour s'adresser à la boudeuse blonde assise plus loin.

— Je demande que ça, te laisser tranquille. Moi les comédiennes ça me fait mourir d'ennui. Non, merci, criait le chanteur devant le décolleté de Denise.

— Lâche-moi, je suis pas comédienne je suis danseuse, répondit la créature blonde.

— T'inquiète j'ai d'autres chattes à fouetter que des danseuses de banlieue. Moi il y a que le Bolchoï qui me fasse bander.

Alors la fille prit un verre à pied qui se trouvait devant elle, l'envoya à la figure du chanteur qui se mit à rire. Denise regarda son chemisier léopard, une grosse tache noire y dégoulinait et le liquide dessinait ses seins, mais personne ne la regardait, personne ne s'excusait, c'était comme si elle n'était pas là et le chanteur éclata de rire. En prenant la serviette blanche qui entourait une bouteille de cognac Godet, il s'essuya le visage avant d'ajouter en hurlant :

— Oh merde, j'adore ça ! Mais désolé je cherchais pas à me placer.

La fille blonde aux cheveux courts se leva, elle portait un gros nœud rose pâle sur la tête qui lui donnait l'air d'un œuf de Pâques, un chemisier à manches bouffantes, transparent, qui faisait exister deux petits seins aux tétons roses et nacrés, un short à pois noirs qui moulait le rebond surprenant de ses fesses musclées. Le chanteur la rattrapa fermement par le bras, mais elle se dégagea comme un petit animal. Il se tourna vers Denise, pour lui parler.

— C'est vrai, je cherchais pas à me placer ! Moi, si vous voulez savoir, je suis fasciné par les grosses, oui, les grosses filles quoi. Oh non, pas énormes, aucune perversité dans mon vice, juste un peu ronde. Les petits boudins quoi. Aux hanches légèrement varicées, aux seins qui tombent et aux culs flasques. Un petit trou du cul rose caché derrière deux fesses molles à la peau d'orange, vous pouvez pas savoir ce que je suis capable de faire pour y accéder. Mais les sacs d'os aux bras maigres, merci, ça me coupe l'appétit – ce qui me fait penser que je suis attendu pour dîner. Bougez pas, je reviens dans deux heures.

Le chanteur se leva, un léger mouvement de groupe s'empressa de lui manifester son dépit de le voir partir, puis il disparut derrière la foule des danseurs. Denise aperçut sa mère parmi cette masse et la voir danser fut sans doute une des choses les plus embarrassantes de sa vie. Le buste penché en avant, comme si la tête était trop lourde, Matilda tapait des pieds, semblant imiter une sorte de transe africaine. Elle balançait ses bras sans rythme, comme si elle avait voulu les jeter très loin d'elle, s'en débarrasser. Les yeux fermés comme des poings, sa bouche ânonnait des paroles, elle qui ne parlait pas un mot d'anglais. Puis l'amas des danseurs expulsa Bruno, qui avait disparu depuis un bon moment. Il portait deux verres dans la main, et semblait chercher quelqu'un. Quand il aperçut Denise, il lui fit un signe, et vint s'asseoir à côté d'elle. Bruno commença à lui parler de ce présentateur de Canal +, qu'il avait croisé au bar et commandait des boissons en même temps que lui. Il l'aimait bien mais ce qu'il préférait, c'était le « Zapping » et le « Petit Journal » de Yann Barthès. Denise sentait que l'alcool lui montait à la gorge, sa glotte devenait lourde et douloureuse. Elle ne savait pas comment Bruno en était venu à lui parler du parapente, il en avait fait l'été dernier c'était fantastique, cette impression de voler, d'être en apesanteur et de voir le monde en tout petit, libre comme un oiseau. C'était surtout la sensation de liberté qu'il aimait par-dessus tout, une chose qui lui avait souvent porté préjudice, surtout avec les femmes, qui parfois comprennent mal, dans le couple, son besoin de s'échapper et de se retrouver seul, mais quand il disait seul, cela pouvait être au milieu d'une foule, d'ailleurs les Anglais avaient deux mots pour cela, « alone » et « lonely » – à part ça il pratiquait des sports de combat, un peu de musculation en salle et du jogging. Denise avait du mal à déglutir, elle sentait sa transpiration soudaine, dans son dos, il fallait qu'elle se passe de l'eau sur le visage, s'excusa auprès de Bruno et chercha les toilettes.

Elles étaient plusieurs, à faire la queue devant une petite porte qui sentait la pisse. A côté d'elles, une fille qui paraissait quinze ans à peine, vendait des cigarettes et des sucettes en forme de cœur, dans une corbeille en osier. Au milieu de la queue, un homme orné d'un serre-tête en plastique doré, d'où apparaissait quand la lumière s'éteignait « Kiss me » en lettres phosphorescentes, faisait des commentaires pressés. Derrière lui, une fille au visage dur, enrobée dans un jean trop serré qui la saucissonnait, se boudinait pour faire passer l'envie qui la taraudait.

— Vas-y casse-toi c'est les toilettes des filles ici !
— Elle se calme la grosse. Tu te prends pour une femme peut-être ?
— Tu veux que je te montre ma chatte ?
— Non merci, j'aime pas les fruits de mer.
— Merde, on peut même plus pisser tranquille !
— Ma chérie, à ce que je sache, tu te fais enculer comme tout le monde, alors c'est pas la peine de prendre des airs supérieurs, répondit l'homme au serre-tête.

Denise décida d'aller prendre l'air, plutôt que d'attendre devant les toilettes, à cause de l'odeur qui amplifiait son malaise. Devant la porte d'entrée, le coin fumeur était délimité par des cordelettes rouges. De l'autre côté, une petite foule compacte s'agglutinait pour se faire remarquer par le videur, négociait l'entrée. Denise sentait l'air refroidir sa colonne vertébrale et ses tempes se tranquilliser. Elle entendit qu'on l'appelait, derrière, mais elle n'était pas sûre. Dans le doute, elle ne se retourna pas : trop de fois dans sa vie, elle avait répondu à un bonjour qui ne lui était pas adressé. Mais au bout de la troisième fois, elle reconnut la voix de Klein, qui gesticulait juste derrière la porte d'entrée. Il était furieux contre Matilda, qui avait accepté des acides de la part d'un type bien trop vieux pour porter un pantalon en cuir serré, elle délirait sur la piste de danse, Klein avait les boules, il savait bien qu'elle n'aurait jamais dû venir avec eux, c'était la même chose à chaque fois, elle faisait toujours n'importe quoi.

Matilda était debout au milieu de la piste et ne bougeait plus, persuadée que le garçon en face d'elle possédait un sexe immense qui poussait d'entre ses jambes et qu'elle pourrait s'y accrocher pour remonter la pente. Il pleuvait une atmosphère idyllique malgré une odeur inquiétante et pourtant agréable de brûlé. Matilda trouvait le dance floor flamboyant, il y avait tellement de chair autour d'elle mais tout le monde saignait du nez, elle voulait retrouver sa fille, la faible pâleur de ses petits pieds ronds, ses pieds d'enfant, si doux et si parfaits. Soudain Matilda regrettait d'avoir mis des collants, elle se souvenait de Miami Beach, à une époque où elle mangeait sans fourchette, il y a bien longtemps, puis un homme lui chuchota à l'oreille qu'il se cherchait sur Google – en vain.

Sans savoir comment, Matilda se retrouva dans une voiture sur les Champs-Elysées, l'Arc de triomphe siégeait dans son dos comme une porte qu'il fallait définitivement refermer pour avoir quelque chance de survivre. Surtout ne pas se retourner. Des moines bouddhistes prenaient en silence des photographies de l'Etoile, elle sentit alors son fils Klein assis à côté d'elle, place de la Concorde la grande roue illuminait le ciel et la tour Eiffel qui scintillait lui rappelait les frizzy pazzy qu'elle achetait le mercredi après-midi aux enfants, à la boulangerie. Les cristaux crépitaient sur la langue comme un feu d'artifice sucré. Elle eut soudain très envie de faire l'amour, si fort que c'était douloureux, parce que Paris était là mais son amour unique était mort.

Denise était retournée à l'intérieur du ventre de la boîte de nuit, il y faisait chaud et sombre, la musique vibrait comme une immense peau autour d'elle, elle s'habituait au grouillement compact des corps, aux jeunes hommes barbus, aux talons à paillettes, aux jolies filles qui le savent, aux moches qui le savent aussi, aux bracelets brillants, aux chaussures neuves, aux regards, les heures s'étaient engouffrées quelque part, entre deux et cinq heures du matin, dimanche s'était invité sur le dance floor, Mademoiselle Terra jouait un remix sadcore, aujourd'hui appartenait déjà à hier : il fallait bien rentrer se coucher, Bruno était à sec et avait envie de baiser. Il proposa à Denise du MDMA, avec une dernière coupe de champagne. Denise accepta. Les lumières de la boîte de nuit s'éteignirent soudain, et tout au fond, sur une estrade à laquelle Denise n'avait jamais prêté attention, elle reconnut Maxime, qui n'aimait que les danseuses du Bolchoï. Il prit la parole, l'ivresse lui donnait une articulation paresseuse, il traita le public de gros cochon puis embrassa le micro avec ses lèvres, respira longuement et sa silhouette devint grave et blanche. Toute la salle se tut, il se mit à chanter d'une voix franche, les yeux au sol – à côté de lui, guitare à la main, une femme liane susurrait les cœurs. Bruno attrapa Denise par la main pour l'entraîner dehors.

L'avenue Marceau vrillait dans l'entre-deux-jours, Denise n'avait aucune idée de l'heure qu'il était, sauf qu'elle était bien bleue. Ils s'arrêtèrent sous une porte cochère et Bruno sortit de sa poche un petit sachet en plastique avec quelques grammes de cocaïne. Denise n'en avait jamais pris, mais elle avait vu, quelques fois, ses parents faire – et aussi les amis de ses parents. C'était facile, de faire l'habituée. Elle eut immédiatement envie d'éternuer, elle pensa à de la poussière dans le cerveau, puis ne ressentit rien. Sauf une piqûre chaude. Place de l'Alma, bourdonnaient encore dans ses tympans quelques samplers fatigués, ils longèrent la Seine sous les châtaigniers. Denise avait mal aux orteils mais était d'accord pour aller voir briller l'obélisque aux premiers rayons du soleil, devant eux riaient deux starlettes en treillis – de qui se cachaient-elles ?

Le jour les avait attendus pour se lever, sur le pont de la Concorde, le cœur de Denise s'ouvrit comme une porte battante : ce serait donc avec cet homme qu'elle ne comprenait pas. Elle allait le faire dans l'heure qui arrivait et chaque minute devenait plus épaisse, devant l'Assemblée nationale elle rassembla ses forces.

Ils arrivèrent sur la dalle Beaugrenelle, Bruno n'avait cessé de parler, le jour était tout à fait levé, Denise se demanda si les autres, tous ceux qui étaient encore là quand ils avaient quitté l'endroit, dansaient toujours sur le dance floor. Denise repensa au chanteur qui avait réapparu après son dîner, la chanson qu'ils avaient entendue racontait l'histoire d'un type qui se noyait. Elle aimait bien la mélodie, tendre et facile à retenir, surtout le refrain chanté par l'incroyable fille, à contre-rythme, presque faux, presque parlé, elle avait bien aimé :

Train bleu wagon première classe
Un homme sensible au cœur de glace
Costume Charvet valise Versace
Fuit l'Italie, une femme dans un palace.

*Dans la chambre de l'hôtel*
*Europalace*
*De Nichelino, Italie*
*Il y a tellement de fleurs sur les papiers peints*
*Que ça fait mal aux yeux*
*Quand tu fixes les murs.*

Train bleu wagon première classe
Il aime que tout soit à sa place
Et que l'inconnue assise en face
Ait l'air de se rendre de guerre lasse.

*Dans la chambre du palace*
*De Nichelino, Italie*
*Cette nuit*
*Rêvant de toi*
*Je me suis mise à neiger.*

Gare de Lyon, Terminus, une belle garce
Attend son ébouriffé des palaces
Qui hait les surprises et s'agace
« Rentre chez toi, c'est ridicule, de grâce. »

Paris septième rue de Bellechasse
Un bain moussant un whisky glace
Pyjama Dior en soie sans froisse
Se noie un homme sensible au cœur de glace.

*Dans mon chagrin j'ai bu la tasse*
*Toi dans ton bain tu fais la brasse*
*C'est c'qui arrive aux dégueulasses*
*Oui, la vie parfois c'est vraiment dégueulasse.*

Denise regarda l'hôtel Nikko avec surprise, c'était donc à l'intérieur de cette bizarroïde tour rouge qu'elle perdrait sa virginité, comment aurait-elle pu l'imaginer quelques jours auparavant, la première fois qu'elle la vit, en revenant de la tournée où elle s'était fait licencier. Elle se souvenait l'avoir aperçue dans la nuit, et l'avoir trouvée d'une grande laideur. C'était comme ça la vie, on pouvait trouver une chose effrayante, et puis cette chose allait devenir, sans que vous le décidiez vraiment, une des choses les plus importantes de votre vie. Dans l'ascenseur qui les amena à la chambre de Bruno, au dix-septième étage, Denise songea que lorsqu'elle reprendrait ce même ascenseur, pour redescendre, elle ne serait plus jamais la même.

Bruno s'approcha d'elle, lui attrapa les cheveux et mit sa langue dans sa bouche. Elle était fine, sur le bout, puis l'organe s'élargissait à mesure qu'il s'enfonçait dans la cavité – extraordinairement. La bouche de Denise était brûlante contrairement à celle de Bruno. Denise pensa aux langues de bœuf qu'elle voyait alignées, blanches, dans la vitrine du boucher. Mais cette sensation glacée sur sa langue en feu était puissante et la différence de leurs températures était incroyablement agréable – jamais Denise n'avait ressenti une douceur pareille, comme le ventre blanc des requins qui fascinait Klein. Denise eut l'impression que Bruno allait la manger tant il ouvrait grand sa bouche. Elle pensait à la salive qui dégoulinait légèrement du coin des lèvres, à l'ouverture démesurée qu'il lui fallait, pour que sa bouche s'accommode à celle de Bruno, à la façon de pouvoir respirer. C'était la première fois qu'elle embrassait.

Dans la chambre, les rideaux étaient tirés et Denise le regretta, elle aurait aimé voir le ciel et la Seine. Un carton d'emballage neuf d'une console Wii était ouvert et traînait devant la télévision. Un sac de sport posé sous la fenêtre, dont on pouvait voir dépasser quelques affaires de Bruno, minutieusement pliées. A côté du lit, sur la table de chevet, Denise aperçut un verre d'eau rempli, un paquet de mouchoirs et sur le bureau, un ordinateur PC portable, plusieurs dossiers et badges au logo Toyota.

Bruno s'assit sur le lit puis sortit de la poche de son jean le sachet de cocaïne, dans lequel restait un fond de poudre. Il fit les deux dernières lignes dans ses mains, ouvrit le tiroir de la table de chevet, en sortit une petite paille qu'il tendit à Denise. Elle ne ressentit rien de particulier, pas plus que la première fois – sauf son cœur, qui battait irrégulièrement. Bruno sortit de la poche de sa veste une dizaine de pilules, roses, blanches et bleues. Il expliqua à Denise qu'il ne savait plus qui lui avait donné ça. Il ne les prendrait pas, et voulait bien les filer à Denise. Denise accepta, polie, ne refusant jamais un cadeau et les glissa dans sa poche.

Bruno attrapa la jeune fille par les hanches, il colla sa bouche sous sa jupe, à l'endroit de sa chatte, puis commença à respirer très fort, comme s'il ronflait. Denise, la tête penchée en avant, le regardait faire, paniquée. Elle aurait voulu le rejeter, elle aurait voulu s'évanouir. Bruno déboutonna son pantalon, et tira brutalement, pour le baisser, entraînant dans son geste la culotte de Denise. Bruno fut frappé de stupeur en apercevant le sexe tout noir, sans épilation. Une excitation qu'elle ne connaissait pas montait en Denise, irritante, désagréable par sa violence, malgré elle. Plus elle voulait l'empêcher, la ralentir, plus elle devenait forte. Elle sentait de l'eau entre ses cuisses, ne savait pas si cela coulait d'elle ou de la bouche de Bruno, elle avait honte, aurait voulu se sécher, mais elle ne pouvait pas bouger, Bruno alors y mettait les doigts et c'était surprenant, là où ses doigts passaient, une chaleur magnétique, comme lorsque, enfant, elle faisait de la balançoire en laissant tomber sa tête en arrière avant de la relever brusquement.

Puis il n'y eut plus rien. C'était fini pour elle. L'orage était passé. Elle voulait fermer les yeux et dormir. Mais pas Bruno, qui se leva pour prendre son sexe dans sa main, et le secouer vigoureusement. Denise le regardait éberlué. Elle n'avait jamais vu ça de sa vie, en vrai, d'aussi près, la bite de Bruno était longue et toute mince, dessinant une courbe, un demi-cercle, rouge violacée et ses veines bleues semblaient prêtes à exploser. Elle savait que toute sa vie, elle se souviendrait de ce moment-là. Il était arrivé. Même si elle n'avait plus envie, c'était trop tard. Il fallait oser le faire. Denise avait envie de s'endormir profondément, mais au lieu de ça, elle se laissa faire. Bruno la retourna dos à lui et la poussa sur le lit. D'une main il ouvrit le tiroir de la table de chevet, y prit un préservatif, elle entendit le bruit de l'emballage qu'il déchirait, puis celui du plastique qu'il déroulait, et quand ce fut fait, il lui écarta les jambes et mit sa bite à l'intérieur, brûlante et sèche.

207

Cela dura quelques minutes à peine. Elle se retourna dans plusieurs positions. Ce fut rapide et visqueux. Ce ne fut rien. C'était donc ça. De tout cela, il ne restait que quelques gouttes de sang.

Bruno était furieux. Elle aurait dû le prévenir. Comment aurait-il pu deviner ? S'il avait su, il aurait fait autrement. S'il avait su, il n'aurait rien fait. Il se sentait coupable maintenant, vis-à-vis de sa femme, vis-à-vis de son fils, qui avait trois mois à peine et sa femme qui était de nouveau enceinte, il n'arrivait pas à le croire, comment allaient-ils faire, c'était un cauchemar, et il fallait qu'il tombe sur Denise, ce n'était vraiment pas de chance, il n'aimait pas ça, la vue du sang, ce n'était pas son truc la première fois, il y a des mecs qui adorent, mais pour lui c'était vraiment dégoûtant, il lui en voulait terriblement, il fallait qu'elle parte maintenant, ce n'était pas possible, de faire des choses pareilles aux gens.

Denise remit sa jupe et sa culotte était humide. Elle n'avait pas envie de remettre ses talons hauts et lorsqu'elle sentit le contact froid de l'intérieur du soulier contre ses orteils douloureux, elle eut envie de tout abandonner.

Bruno s'était enfermé dans la salle de bain, il prenait une douche, Denise se demanda s'il fallait toquer à la porte pour lui dire au revoir, lui signifier qu'elle partait. Elle resta quelques secondes assise sur le lit, à regarder la porte, écoutant le bruit de l'eau qui coulait, elle l'imaginait chaude et fumante, elle aurait aimer s'y laver, enlever le vernis de salive sur sa peau, mais elle se leva, passa nonchalamment sa main sur la porte de la salle de bain, comme font les enfants qui s'ennuient, puis s'en alla.

Une fois rentrée à l'appartement, où dormaient encore Matilda et Klein, Denise regarda par la fenêtre celles, lui faisant face, de l'hôtel Nikko. Elle pensait à Bruno, sortant de la salle de bain. Il dormirait une heure, avant de faire sa valise pour prendre son train, où il retrouverait sa femme et son enfant, pétri de culpabilité, il achèterait pour la somme de huit euros quatre-vingt-dix une peluche au Relais H.

Dans trois heures à peine, Denise devait retrouver Gérard chez lui, pour lui donner le dernier paquet de feuilles des retranscriptions, toutes les cassettes, en échange de quoi elle recevrait son chèque, ainsi que le secret de l'année 1985. D'ici là, elle devait prendre une douche, enlever l'odeur de Bruno sur sa peau, se dépêcher et ne plus penser à la chambre de l'hôtel Nikko.

Devant la porte du bureau de Gérard, Denise attendit cinq minutes, qui lui semblèrent longues. Un homme qu'elle n'avait jamais vu auparavant finit par ouvrir dans un geste las. Il était de taille moyenne, les cheveux marron gris, assortis à son costume d'un marron très clair, et portait un journal dans sa main. Denise eut l'impression qu'elle le réveillait.

— J'ai rendez-vous avec Gérard Rambert, dit-elle timidement.

— Vous êtes Denise Maisse ? Gérard a laissé ceci pour vous, dit-il en tendant une enveloppe, comme s'il l'attendait.

— Je voudrais bien voir Gérard, si c'est possible ?

— Ah non, je suis désolé, mademoiselle, il n'est pas là.

Denise resta à le regarder, attendant une explication.

— Monsieur Rambert est parti. Pour ses affaires.

Et l'homme referma la porte sur Denise, après lui avoir poliment dit au revoir. Denise déchira l'enveloppe, en sortit le chèque, d'une somme de 2 000 euros. Elle s'étonna de ne trouver ni mot ni lettre. Ce n'était pas possible. Gérard n'avait pas pu la laisser comme ça, et emporter la gravure de Daroussa sans tenir sa promesse. Elle sonna de nouveau à la porte du bureau. L'homme au costume marron ouvrit plus rapidement que la première fois. Il semblait contrarié, presque agacé.

— Je vous ai dit que Monsieur Rambert n'était plus là. Il est parti pour Macao ce matin.

— Vous êtes sûr qu'il ne vous a rien donné d'autre pour moi ?

— Mademoiselle je suis vraiment désolé, mais Monsieur Rambert n'a rien laissé pour vous. Peut-être a-t-il fait parvenir un courrier à votre adresse ? Mais je ne peux rien vous dire de plus. Excusez-moi, j'ai encore beaucoup de travail à régler.

Denise resta longtemps assise à l'arrêt de bus. La douleur dans son cœur était trop forte à supporter. Sa mâchoire pesait si lourd soudain qu'elle semblait prête à se décrocher. Personne ne savait qu'elle avait donné à Gérard la gravure de Daroussa. Il n'y avait aucun témoin, aucun confident. Comment expliquerait-elle cela à Matilda ? Elle ne lui pardonnerait jamais une chose pareille. Denise ne voulait pas retourner à l'appartement, où sa mère et son frère dormaient encore, elle avait envie d'un endroit calme pour échapper à la moiteur de la ville dans le soleil de midi. Elle ne savait pas où aller, elle n'avait pas d'argent sur elle pour prendre un café, elle avait tout perdu. Dans sa poche, elle sentait, comme de petits bonbons blancs, les pilules de Bruno, qui se faufilaient entre ses doigts.

Les cachets dans sa main lui firent penser à son père. Elle n'était jamais retournée sur sa tombe, depuis son enterrement. Le cimetière de Passy n'était pas très loin, voilà où elle trouverait un peu de fraîcheur et de tranquillité.

Elle descendit dans le métro qui était chaud comme un four et puait le plastique frotté. C'était dimanche matin, il y avait peu de monde dans les wagons. Deux adolescents gothiques – la fille avait le bout des cheveux teint en rouge et le garçon, métisse, portait à l'épaule un sac en tissu avec l'inscription « fuck the world ». A côté d'eux, un groupe de grosses dames américaines, portaient des polos Lacoste rouges, assortis à leur rouge à lèvres. De larges lunettes en verre fumés et des baskets Nike malgré leurs soixante-dix ans passés. Denise avait envie de pleurer. Très fort. Mais elle ne pouvait pas le faire devant ces gens.

En l'abandonnant ainsi, Gérard l'avait abandonnée au nom de tous les autres, et c'était si triste. Et c'était si insupportable. Denise plia le bras, et le mit devant son visage, pour retenir ses larmes à l'intérieur. Elle sentit sur ses manches l'odeur écœurante, l'eau de Cologne de Bruno. Sa gorge était gonflée, au bord d'éclater. Elle prit une des pilules de Bruno, et l'avala. Puis une autre. C'était comme des petites billes au fond de la poche, comme des friandises, dérobées à l'étalage. Elle en avala encore une autre, jusqu'à la dernière. Elle fit cela mécaniquement, avec son regard de fille têtue qu'elle avait parfois, quand elle n'avait plus peur. Le goût des pilules était amer et désagréable sur la langue, mais ça passait bien, avec les larmes au fond de la gorge, ça coulait, comme les morceaux de sucre de Mary Poppins. Qui faisait ce geste-là ? Qui avait la volonté de prendre les pilules, de les mettre à la bouche et de les avaler ? Elle ne savait pas, c'était une autre fille, à l'intérieur d'elle. Une fille qui regardait par-dessus les fenêtres, lorsqu'elles étaient trop hautes, en se sachant capable de les enjamber. Une fille qui regardait les rails lorsque le métro arrivait. Une idiote qui avait ses mains et ses yeux, qui savait que c'était dangereux. Mais qui se fichait pas mal de tout ce qui pourrait arriver, parce qu'elle n'était qu'une fille à l'intérieur – et que tout cela n'était pas « réel ».

Denise arriva devant le portail du cimetière – elle se souvint du jour de l'enterrement de son père, dans le froid de décembre. Il neigeait depuis la veille, on voyait à peine les flocons minuscules, mais ils donnaient à l'air la sensation que tout tremblait. Le ciel n'était pas blanc, il était comme absent. Sur le sol, la boue noire apparaissait sous le fin duvet de neige, un linceul immense, recouvrant tout d'une cretonne déflorée, tachée çà et là – et les couleurs semblaient avoir disparues de ce paysage minéral. Denise avait trouvé le cimetière très beau et s'émerveillait encore davantage de le découvrir dans la lumière organique de l'été. Le jour de l'enterrement, elle avait déjà été impressionnée par l'immense portail, surmonté de trois lettres écrites en capital : « PAX ». Denise ne se souvenait plus très bien de l'emplacement de la tombe, mais elle n'avait pas le courage de demander à la dame des registres qu'elle lui indique le plan du cimetière. Sa peau frissonnait, les pilules avalées quelques minutes plus tôt commençaient à faire leur effet. Le cœur battait la chamade. Et la respiration devenait moins profonde.

Elle prit l'allée sur la gauche, marcha devant une statue de Jeanne d'Arc dont les formes rondes vous invitaient à pénétrer plus avant parmi les tombes – derrière elle, se dessinait un Christ sur la croix, puis un Hermès de bronze vert, caducée et casque ailé, le sexe à peine voilé. Denise avançait la gorge serrée, sous le buste imposant d'une célébrité oubliée, de petites fleurs de marguerites déplumées, assoiffées, rosissaient dans la caillasse.

Denise sentit sa poitrine se contracter, ses veines se coaguler les unes aux autres, comme si la peau collait à l'intérieur. Sous l'effet des acides, ses yeux se troublèrent si fort, qu'elle dut s'asseoir quelques secondes sur deux pierres livides, à l'entrée d'un couloir de marbre noir, au fond duquel se détachait une femme lascive aux seins anthracite, tenant une flamme sombre dans sa main. Denise se releva, elle voulait la trouver, dans la poussière soulevée par le vent de ce dimanche d'été. Elle voulait trouver la tombe de son père. Ses narines lui faisaient mal, elle mit sa main à sa gorge, sous le buste de Berthe Morisot, aux yeux aussi noirs que ses habits lourds, elle eut l'impression que son corps s'asphyxiait.

Denise, lentement, étouffait.

Soudain sur la huitième division, la cinquième tombe de la première ligne nord, elle vit écrit son nom, en lettres bâton, sans prénom ni date. MAISSE. La tête bourdonnait, le bout de ses mains, ses lèvres devinrent bleues. Mais Denise ne le voyait pas, elle pensait seulement saigner du nez. Devant la tombe de son père, pour la première fois depuis longtemps, elle se sentit moins seule. Mais la tristesse était violente et c'était comme si les rats rongeaient son cœur.

Les genoux de Denise fléchirent sous le poids de sa tristesse. Ses organes gonflaient, une chose étrange grandissait à l'intérieur d'elle, se nourrissant de son sang, de son air, poussant les parois de son ventre jusqu'à ses poumons. La chimie devenait vivante. La douleur devenait de plus en plus forte, les cellules s'affolaient, ne prenaient plus les bonnes artères, son propre corps devenait un poison violent, de plus en plus vite, de plus en plus fort. Denise s'allongea sur le marbre blanc de la dalle, les poumons devenaient rétifs à l'air, son estomac n'était plus qu'un œdème, elle comprit qu'elle sombrait.

Elle était seule au milieu de toutes ces tombes, les lèvres tuméfiées ne s'ouvraient pas assez pour qu'elle puisse crier à l'aide. Elle n'aurait ni assez de temps ni assez de force pour rejoindre l'entrée du cimetière. C'était un supplice de tout son corps encombré, la langue épaissie comme celle d'un animal malade, elle allait donc mourir ainsi, étouffée en elle-même. Comment, en se levant la veille, aurait-elle pu imaginer que c'était le dernier jour qui lui serait donné de vivre ? Le sang enflait ses paupières énormes et violacées, elle ne pouvait plus lutter contre la mort qui arrivait, il fallait se laisser faire, se laisser prendre, que ça finisse vite, souffrir le moins possible. Ce n'était pas ce qu'elle avait voulu au fond, elle voulait seulement qu'on vienne la chercher. Mais là, il n'y aurait personne. Pas même un miracle.

Il y avait le lit immense de l'ombre, dans lequel elle nageait avec Klein. Il y avait la baignoire en plastique jaune où ils prenaient tous les deux leur bain. Il y avait la piscine bleue de Nick dans laquelle son père faisait des longueurs sans maillot de bain ; il y avait la chemise de nuit de Matilda qui était douce et sentait bon ; il y avait la peau de Matilda, sa peau sous les bras, qui tombait avec le temps ; il y avait cette cachette, sous le sable dans les dunes, qu'elle seule connaissait ; il y avait les particules de poussière, dans les rais de lumière du chalet de Chamonix, il y avait un château en bord de mer, l'année 1985, il y avait le visage des enfants qu'elle n'aurait pas, leurs cris, leurs rires qui s'effaçaient d'une lointaine bande magnétique.

Denise frissonna sous la chaleur de l'été et sentit couler sur son cou la froide sueur de l'agonie, tandis qu'elle rejoignait son père dans les limbes d'un éternel matin flou.

*Lucien Engelmajer*

Créé par Lucien Engelmajer en 1972, le Patriarche fut une association de lutte contre la toxicomanie. Reconnue et soutenue financièrement par l'Etat français durant plus d'une vingtaine d'années, l'association a développé une trentaine de centres dans toute l'Europe – puis aux Etats-Unis. Mais en 1995, le rapport parlementaire sur les sectes signale le Patriarche comme organisation sectaire. Entre la mise en place de l'utopie de la Boère en 1972 et le procès de Lucien Engelmajer en 2007, trente-cinq ans se sont écoulés. Trente-cinq années complexes et ambiguës. Certains individus doivent leur survie au Patriarche, d'autres en sont morts. On estime – bien que les chiffres soient difficiles à établir – que presque 100 000 personnes dans le monde sont passées dans les centres. Pas de jugement ici, simplement le décor d'une histoire.

Certains propos de Lucien Engelmajer sont inspirés ou rapportés de ses livres, *Prière d'Elle, Le Patriarche, pour les drogués : l'espoir* et *Graphie, Auto, bio etc.*, parus aux éditions du Pâtre.

Il restait encore une bonne partie des cartons à faire. Matilda ne reviendrait plus jamais à Périgueux, où elle avait vécu avec sa fille. Elle ne pouvait plus vivre dans la maison, ni dans la ville. Il ne restait plus que la chambre de Denise à ranger. Si Zizi avait été là, sa seule amie, elle lui aurait demandé de le faire pour elle. Mais elle n'était plus là, ni Patrice, ni Denise. Klein était parti vivre à Los Angeles. Ils avaient parfois quelques conversations, Klein avait installé skype sur l'ordinateur de sa mère, lui en vantant les mérites, mais à quoi bon. Il s'en servait aussi rarement que son téléphone. Quand les gens partent, ils partent.

Sur le lit de sa fille, elle avait laissé posé, depuis ces trois mois, les paquets que Gérard Rambert avait déposés à l'hôtel des Arts, à l'intention de Denise. Juste avant de partir, dans le taxi qui le menait à l'aéroport, il avait demandé au chauffeur de l'attendre quelques minutes. Il avait tenu à les déposer en main propre, avec ce plaisir de glisser soi-même les cadeaux au pied du sapin, le soir de Noël. Gérard était heureux de partir quelques semaines en Asie, il avait regroupé plusieurs rendez-vous, des clients à voir, il irait skier à Niseko, où la poudreuse est tendre comme une amie. Il n'avait pas prévenu Denise de son départ. Pourquoi ? Il ne se l'expliquait pas bien. N'avait pas même envie de se pencher sur cette question, il serait vite dans l'avion, Paris loin derrière lui.

Mais il avait tenu à tout préparer pour Denise. Gérard s'était souvenu qu'elle logeait à l'hôtel des Arts durant son séjour à Paris. Le concierge lui annonça qu'elle ne résidait plus là, mais en échange d'un billet glissé sur le comptoir, il promit de la prévenir que des affaires l'y attendaient.

Il y avait la gravure de Daroussa, que Denise avait voulu échanger contre un secret. Gérard, d'abord effrayé par cette grande fille perdue, mais qui l'avait touché au cœur, avait voulu lui offrir quelque chose avant de partir. Il avait pensé à faire encadrer sa gravure, chez son ami de la rue Boucicaut. Dans un cadre moderne, en bois peint et clair, de quelques centimètres de hauteur. Ainsi, le cadre évoquait une de ces boîtes, dans lesquelles on épingle les papillons et les insectes. Il donnait au portrait une dimension taxidermiste et mélancolique qui lui seyait bien. Au dos du tableau, Gérard avait laissé un mot, d'une écriture ample et liée, demandant qu'à l'avenir, Denise prenne davantage soin de sa gravure, qu'elle devait promettre de ne jamais s'en défaire, sauf pour l'offrir à ses enfants, le jour où elle en aurait. Accompagnant le cadeau, Gérard avait ajouté un petit enregistreur, avec une cassette à l'intérieur.

Matilda n'avait jamais eu le courage, ou peut-être même l'idée, d'écouter la bande magnétique laissée par Gérard. Mais là, au milieu des cartons comme au milieu des gravats, elle appuya sur le bouton de la machine et la voix métallique de Gérard Rambert se mit en marche :

« Au début de l'année 1985, je suis entré dans une maison de repos, à Chevilly-Larue, pour arrêter les opiacés – et les remplacer par d'autres molécules. Je me souviens en particulier du "Nozinan", diabolique : tu ne ressens aucun manque donc tu crois avoir trouvé la formule magique. Dans cette maison, j'ai rencontré des gens extravagants, des aristocrates à chevalière, propriétaires de vignes dans le Bordelais, mis sous tutelle par leurs épouses. Mon voisin de chambre est un polytechnicien en dépression nerveuse pour surmenage – je découvre que ça existe, aussi.

Je finis par ne plus réfléchir, car cette maison de repos est en réalité un asile de fous, avec service hôtelier, jardins et jardiniers. Il y a plusieurs pavillons, du beau linge, mais les toxicos ne sont pas à table entre eux. Moi je suis à table avec des alcooliques.

Un jour, le docteur Gallois me reçoit dans son bureau et me demande si j'ai entendu dire qu'on allait m'envoyer au Patriarche. Je lui réponds "oui".

Le Patriarche, on en a tous entendu parler en 1985. C'est un type qui va guérir le sida, les toxicomanes et les alcooliques. A la prussienne. C'est-à-dire sans rien. Enfin, pas tout à fait sans rien, à la tisane d'ortie (que j'ai fini par apprécier, pas sucrée). Surtout quand tu dois couper toi-même les orties. Et que tu n'as pas de ciseaux pour le faire.

Alors le docteur Gallois me regarde droit dans les yeux et il me dit : *"Ça va secouer."* Alors j'ai eu la vision d'un ascenseur qui défilait sans fin. Pas plus. Mais ce sera bien différent. Ce sera apocalyptique. Une expérience que j'ai jamais vécue dans ma vie. Je dois partir le lendemain, le docteur me prépare trois fioles de toutes les couleurs en précisant : *"Vous en prendrez une par jour."* Ce médecin travaillait là six mois par an. Avec l'argent gagné pendant ces six mois, il allait chasser le gros gibier en Afrique. C'était un tueur, distributeur de molécules. Les fioles, je les ai toutes bues d'un seul coup avant d'arriver au Patriarche. Je n'ai pas dormi pendant soixante-douze heures.

Mais ça c'est une autre histoire.

Ton père est arrivé au Patriarche quelques semaines après mon arrivée. Ce n'était pas facile pour lui, parce que c'était un être fragile. J'ai essayé de le protéger. Autant que possible. Mais nous n'avons pas réussi à te protéger. Ce qui t'est arrivé au Patriarche, puisque c'est cela que tu veux savoir, ce n'est pas à moi de le raconter. Mais enfin, tout le monde savait. Ta mère aussi. »

Matilda éteignit l'appareil enregistreur. Elle resta longtemps, assise sur le lit, les yeux dans le vague. Jusqu'à ce que la nuit tombe, et qu'il fasse absolument noir dans la chambre. Plongée de nombreuses années en arrière, en 1985, près de Deauville en Normandie.

Avec ses doigts, là où la peau est douce au bout des ongles, Matilda caresse les paupières fermées de Patrice, paupières rougies par l'herbe qu'ils ont fumé la veille, pour calmer les angoisses nocturnes. Les vaisseaux sont gonflés, bordeaux violets et bleus. Puis Matilda effleure le creux de l'épaule arrondie. Le début clairsemé de la chevelure, près des tempes. De temps en temps elle met ses lèvres sur l'oreille douce comme pour la manger, elle chuchote : « Tu es mon enfant. » Elle lui dit : « Tu es mon mari. » Et ses mains signifient « maintenant on va prendre soin de toi, on va te guérir et quand tu seras fort, tu reviendras t'occuper de nous, de ta femme, de ton fils et de ta fille ». Elle voudrait qu'ils restent encore quelques jours, dans cette chambre d'hôtel au bord de la mer – on entend les oiseaux dehors. Encore un jour. Tous les deux. Patrice s'est retourné. Elle s'agrippe à son dos, colle son visage contre la peau constellée, il ne faut pas qu'elle pleure. Elle se demande ce qu'elle va devenir sans lui. Elle se pose sérieusement la question, lui qui n'a jamais rien fait pour elle.

Quand Patrice réussit à ouvrir les yeux et à se mettre debout sur ses jambes, ils descendent les escaliers en bois, en se tenant bien à la rampe. Dans la salle à manger du *Cabaret Normand* – ils ont choisi cet hôtel à cause d'*Un singe en hiver* – un couple est déjà attablé.

C'est le dernier déjeuner d'homme libre de Patrice et il le sait. Il faudrait manger, mais il n'en a pas même le courage. Il est comme un enfant, mais ne se souvient plus où sont ses parents, ni qui ils sont. La fatigue pour garder les yeux ouverts. L'effort pour se tenir assis, maintenir la tête. Ça sent bon dans les cuisines, mais Patrice ne sent rien, que son cœur qui bat et décroche – c'est si douloureux.

Tout va bien se passer, dit Matilda, en vérifiant que l'enveloppe kraft contenant l'argent pour le Patriarche est bien dans la valise. Dans deux mois tu es sorti, et nous partirons cet été, j'aimerais bien retourner en Espagne, avec ou sans les enfants, on verra bien. Mais tous les deux. Je te montrerai la ferme où j'ai grandi, je te présenterai la famille qui m'a élevée, ils s'occuperont de nous, des enfants, de toi. Dans deux mois tu es guéri, tout sera vivant et joyeux. Je serai toujours à côté de toi, pour qu'il ne t'arrive rien. Lucien viendra te voir personnellement. Il a un don. On me l'a dit. Le docteur a répété qu'il faut faire confiance, ça fait partie de la cure. Tu verras. Tu vas y arriver. Matilda choisit sur la table des desserts une part de clafoutis aux poires pour elle, et un flan à la vanille pour Patrice. Plus facile à mastiquer. Elle règle la note de la nuit, au comptoir, pendant que Patrice essaye d'avaler un café trop chaud, qui lui brûle la langue. Puis ils prennent la voiture. « *Est-ce que tu veux descendre une dernière fois à la plage ?* » demande Matilda. Non, il faut y aller maintenant. Pendant quelques secondes il se sent prêt, et puis la sensation disparaît. Son souvenir lui donne malgré tout du courage.

Matilda et Patrice prennent la R5 en direction du sémaphore d'Hennequeville. Ce n'est qu'à dix minutes de l'hôtel, Matilda suit le petit panneau « Ilot de santé Le Patriarche », s'étonnant de la facilité d'accès. Elle avait imaginé qu'elle se perdrait. Sans doute aurait-elle préféré devoir renoncer, faute de trouver le chemin. Avant d'arriver, Patrice demande à Matilda de s'arrêter quelques minutes. Il saisit dans la boîte à gants la petite bouteille de Chivas de supermarché, qu'il boit à grosses goulées. « *Ça va être bien* » dit-il tout simplement à Matilda, avant de boire encore quelques gorgées de whisky. Ils reprennent la route, en silence. En apercevant l'écriteau « Manoir des Creusniers », Patrice pense à des crocs de chien et ça ne lui dit rien qui vaille.

Le Manoir des Creusniers est une maison de villégiature du XIX<sup>e</sup> siècle. Un gros manoir anglo-normand dont le rez-de-chaussée présente de belles pierres de taille, de larges fenêtres composées de petits carreaux encadrés de bois blanc. Le premier étage est un entrelacement de colombages verts sur un mur clair, en torchis. Le dernier étage s'encastre dans la toiture impressionnante, composée de multiples triangles s'évadant du toit de tuiles rouges. La façade au vent, donnant sur la mer, au loin, présente presque vingt fenêtres, grandes et larges. Certaines ont des balcons en bois peint, où l'on imagine coller l'œil à l'horizon. Derrière, il y a les préfabriqués, qui datent des colonies de vacances, quand le manoir accueillait les enfants de la SNCF. Et d'anciennes écuries, en cours de réfection. Les chevaux. Puis les enfants. Et maintenant les toxicos. Plus loin il y a les falaises et la plage, on ne les voit pas, mais elles sont là. Comme une frontière infranchissable. Patrice pense à ces bagnes des histoires anciennes, construits sur des îles inaccessibles.

Matilda et Patrice se garent devant la grande bâtisse en pierres, Matilda sort la valise, un beau sac en cuir prêté par Zizi. Patrice est resté assis à l'avant, sans bouger. « *Souviens-toi, tu as dit que ça va être bien.* » Mais Patrice pleure. Sa langue est devenue râpeuse. Les larmes s'agglutinent sous le menton, et tombent jusqu'au jean, dessinant une tache sombre sur le bleu délavé.

Ils entrent dans le manoir. Personne à l'intérieur. Ni Patrice ni Matilda ne remarquent la cloche sur le perron. L'intérieur de la baraque n'a rien du manoir normand de sa façade. Tout est propre, certes, très propre même – ça sent la javel – mais le mobilier est fait de bric et de broc, un mélange d'artisanat baba et d'ameublement rustique.

Au premier étage, Matilda frappe à une porte. Oui c'est bien là, l'accueil des nouveaux pensionnaires. Face à elle, un homme aux cheveux blancs, plutôt fournis, avec des croûtes au ras du crâne. Il a une bonne tête, la tête d'un type qui en a vu des pires que vous et à qui on serait prêt à se confier. Matilda, en regardant la façon dont il se penche, pour prendre leurs mains dans les siennes, pense à ce prêtre qui porte un blouson noir. Jean-Philippe a un accent du Sud-Ouest doublé d'un léger chuintement, comme si l'air sifflait entre les dents.

Patrice s'assoit à côté de Matilda. Souvenirs d'école : sa mère apeurée face à la directrice sévère mais juste. Mais où est sa mère déjà ? Il ne s'en souvient plus. Est-ce qu'elle est morte, ou est-ce qu'il en a rêvé ? Face à eux, Jean-Philippe est d'une grande gentillesse, heureux de les accueillir, heureux que Patrice ait fait le choix de la vie et du Patriarche. Lucien va bientôt venir leur rendre visite. Lucien aime beaucoup les artistes. Il a beaucoup d'amis parmi eux qui soutiennent l'association. Jean-Philippe évoque un sculpteur espagnol, qui travaille actuellement dans le centre, sur des œuvres cubistes, et qui fait de l'initiation à l'art pour les jeunes du centre. Matilda ajoute à ce propos qu'elle a parlé d'un atelier théâtre, que Patrice pourrait diriger dès qu'il irait mieux. Jean-Philippe était au courant, en effet, et pense que c'est une excellente idée, ils en parleront avec Lucien, quand il sera là.

Jean-Philippe expose ensuite les grands principes d'organisation du centre. Pour la toxicomanie, le Patriarche pratique la méthode du « sevrage complet ». Pour le sida – Jean-Philippe mentionne cela à titre d'exemple, puisque selon le dossier médical que Matilda a apporté avec elle, Patrice n'est pas touché par le virus – le centre inaugure une collaboration avec le professeur Mirko Beljanski inventeur d'un médicament pour guérir du sida.

Patrice passera d'abord quelques jours en sevrage. Une période difficile, qui ne dure que quelques jours. Après ce « voyage vers la guérison », il intégrera la vie du centre, avec les autres membres. Matilda pourra alors venir le voir autant qu'elle le souhaitera, avec les enfants, admis et bienvenus dans ce lieu de vie.

Matilda pense au miracle. Et remercie les forces qui ont mis Patrice sur sa route. Puis Lucien sur celle de Patrice. La vie est un printemps, pense-t-elle. Tout recommence toujours.

Patrice, lui, ne pense à rien. Si. Il pense qu'il a envie de chier. Pour la première fois depuis longtemps. Et c'est peut-être un bon signe. Il pense à Nick, qui lui avait dit que tout ça, c'était de la merde, qu'il n'avait rien à faire chez cette bande de pervers allumés, qu'il ferait mieux de prendre le soleil à Saint-Tropez. Mais Patrice emmerde Nick. C'est un bourgeois qui ne comprend rien à rien, fait semblant de tout. Semblant d'être sans vulgarité, semblant de se droguer, semblant d'être intelligent, semblant d'aimer l'art, semblant d'aimer autre chose que lui-même.

Jean-Philippe aborde la question financière. Matilda a tout apporté en liquide. Dans le sac qu'elle donne à Jean-Philippe, il y a les 4 500 francs d'admission. Le logement et les soins s'élèvent à 2 500 francs par mois, payables à l'avance par trimestre, soit 7 500 francs à régler – qui seraient bien évidemment remboursés en partie en cas de guérison avant la fin du trimestre. Une cure ne pouvant dépasser les trente-six mois. Un don particulier pour le centre étant le bienvenu, Matilda a apporté une aide de 1 000 francs pour les œuvres de recherches scientifiques contre le sida, ainsi qu'une somme de 500 francs pour la mise en place de l'atelier théâtre que dirigerait Patrice dès qu'il en serait capable. Soit un total de 13 500 francs que Matilda sort de son sac à main, c'est-à-dire vingt-sept billets de 500 francs qui tiennent dans une enveloppe kraft, pas grand-chose finalement, ces billets au portrait de Blaise Pascal plongé dans ses pensées.

*« La vanité est si ancrée dans le cœur de l'homme, qu'un goujat, un marmiton, un crocheteur se vante, et veut avoir ses admirateurs. Et les Philosophes mêmes en veulent. Ceux qui écrivent contre la gloire, veulent avoir la gloire d'avoir bien écrit ; et ceux qui le lisent, veulent avoir la gloire de l'avoir lu ; et moi qui écris ceci, j'ai peut-être cette envie ; et peut-être que ceux qui le liront l'auront aussi. »*

Seule dans la voiture, laissant Patrice entre de bonnes mains, Matilda a l'impression d'un endroit agréable. Une belle maison au bord de la mer, où Patrice sera traité avec soin. Elle a repris du courage. Il faut rentrer à Paris, récupérer les enfants chez Zizi. Les mauvais souvenirs s'effacent, celui de Patrice frappant avec violence contre la porte d'entrée. Les enfants se réveillent, ils pleurent. Patrice en manque, il vient réclamer de l'argent. Il tremble, ne supporte ni la lumière ni les cris des petits, il casse la lampe du salon, manque de s'électrocuter avec le filament, odeur de la moquette cramée, Matilda donne ce qu'elle a sur elle, dans son porte-monnaie, presque deux cent cinquante francs, mais ce n'est pas assez, Patrice est en colère, il pourrait frapper Matilda, mais ça, non, il ne l'a jamais fait, alors il repart avec ses trois malheureux billets, la bave aux lèvres, les yeux qui roulent et les paupières lourdes comme des rideaux de fer. Oui, tout cela est loin derrière, pense Matilda. Ne pas penser à la sensation d'un piège qui vient se refermer derrière elle.

Jean-Philippe demande à Patrice de le suivre avec ses affaires, pour l'emmener dans une chambre provisoire. Le sevrage commence tout de suite. Mais Patrice ne peut pas prendre sa valise, ses bras tremblent et ses jambes sont molles. La main est là, cette main noire, maigre, sèche, qui le prend derrière le crâne, entre dans la fontanelle – comme les nouveau-nés dont on voit battre le cœur à l'orée du front. Patrice ne sait pas comment il va descendre les escaliers.

Pour l'aider, Jean-Philippe le soutient, lui prend un bras et le passe par-dessus son épaule. Ils vont marcher tous les deux, comme ça, traversant la cour, avec, de l'autre côté, la maison du sevrage.

Deux gars attendent en fumant des clopes devant la maisonnette. L'un est grand, large avec un tatouage presque effacé sur l'avant-bras, un genre de videur de boîte de nuit. Et l'autre, beaucoup plus jeune, tout sec, un de ces punks errant devant les gares routières, en plein été, qui font s'entrechoquer entre elles les bouteilles de bière. Mais Patrice ne fait pas attention à eux, il n'arrive pas même à distinguer leurs visages. La main presse, et puis gratte les yeux, gratte dans les oreilles. Jusqu'aux sinus, qui coulent sans s'arrêter.
Les deux types lui demandent tout d'abord de

donner ses papiers d'identité. Oui, qu'ils les prennent. Qu'est-ce que cela veut dire, des papiers d'identité, à quoi cela leur servira-t-il ? Patrice ne sait même pas s'il a une identité. Il se souvient à peine qu'il a des enfants, si, il s'en souvient, à cause de ce film où David Bowie est un humanoïde extraterrestre, abandonnant sa femme et ses enfants dans des costumes de têtards blancs, qui meurent de soif sur une planète sans eau. Patrice essaye de se souvenir pourquoi il a si mal à la langue.

Le punk et le tatoué ouvrent la valise de Patrice, pour procéder à la fouille. Comme deux douaniers d'aéroport, un jour de grande alerte. Ils trouvent facilement le portefeuille de Patrice : une carte d'identité, un permis de conduire, une carte orange périmée, quelques pièces de monnaie. Et deux cents francs en liquide que Matilda a glissés, « *pour les extras* ». Jean-Philippe met le portefeuille avec les papiers dans la poche arrière de son pantalon.

Il fait sombre dans la pièce et ça sent l'humidité mélangée au détergent. Le punk et le tatoué demandent à Patrice de se déshabiller, pour voir s'il n'a rien sur lui. D'un seul coup, Patrice se met à transpirer, il a chaud, même sa langue transpire, elle est moite, salivation excessive, il ne sait plus s'il a quelque chose sur lui, c'est possible, quelque chose qu'il aurait oublié, son nez coule, la morve coule le long du nez, entre dans la bouche, c'est salé.

Les deux gars lui demandent de se pencher en avant, les coudes sur la table, ils veulent vérifier qu'il n'a rien dans le cul. Il faut tousser. Puis ils referment la valise, en confisquant tous les médicaments de la trousse de toilette, qu'avait soigneusement préparée Matilda. Avec les médicaments pour dix jours du docteur. Ils prennent aussi son eau de toilette « *parce qu'il y en a qui la boivent* ». Matilda avait choisi *Eau du coq* de Guerlain : les deux bonnets phrygiens dessinés sur le flacon avaient plu à Klein.

Patrice se rhabille, on lui donne un bâton, un petit bout de bois en cas de crise de manque, « *contre les crises d'épilepsie, tu dois le garder toujours sur toi* ». Patrice suit les trois hommes dans la petite maison. Au rez-de-chaussée il y a une sorte de salon, puis un couloir avec des chambres. Ils entrent dans la première. Elle est vétuste, un petit lit en bois de chêne massif, recouvert d'une couverture noire au crochet, avec des carrés de couleurs rouges et orange, deux gros coussins blancs, une table basse en bakélite sur laquelle sont posés un broc en métal clair et un verre. Au pied du lit, une poubelle avec un sac plastique, pour vomir sans doute bien plus que pour y mettre des déchets – car quels déchets aurait-il pu y jeter, lui qui entre les mains vides ? Un lavabo sale dont le miroir a été aveuglé par des bandes de gros scotch noir, un torchon de lin beige surpiqué d'une bande rouge. Et une chaise tressée en osier, où s'assoit le petit punk.

Patrice voudrait des médicaments, il a peur de la douleur. Mais il n'y a pas de médicaments dans le centre. Pas même une aspirine. Le gros tatoué lui explique que demain, il commence les tisanes de Lucien, bien plus efficaces que toutes les pilules chimiques dont on gave les malades – les tisanes de Lucien, elles, sont l'héritage d'un savoir ancestral, celui de la médecine chinoise et ayurvédique. Mais d'abord, Patrice doit se débarrasser de ses toxines par un jeûne. En attendant il faut dormir. Bertrand – Patrice comprend que Bertrand est le prénom du petit punk – va veiller sur lui toute la nuit, il ne le lâchera pas.

Patrice n'a jamais aimé dormir seul. Alors, là, ça lui va, ça le rassure, même si ce type lui a mis un doigt dans le cul, à moins que ce soit l'autre, il ne sait plus. Il va pouvoir s'endormir, la chambre sent le bois mouillé, comme dans le chalet de montagne où Nick l'emmenait, parfois. Patrice pense à Nick, et se demande si Nick pense à lui de temps en temps. Non, sans doute, il doit penser à enculer un adolescent dans un pays ensoleillé. Il ne peut pas imaginer Patrice dans ce trou à rat, au fin fond de la Normandie, en enfer.

Patrice somnole, en pensant à des conduits de cheminée, pleins de suie, qu'il faudrait nettoyer à grands jets d'eau. Il serait prêt, lui, à les nettoyer, s'il avait le matériel nécessaire. Et quelque chose de froid qui pourtant brûle entre les cuisses, se colle à lui. Patrice se retourne dans son lit, il comprend qu'il s'est pissé dessus. Merde. Le petit punk est toujours là, les yeux grands ouverts. « *C'est pas grave, ça arrive, souvent, la première nuit. T'inquiète il y a une alaise et puis on va changer les draps, il y en a dans l'armoire, à côté, ce n'est rien, il faut se rincer le sexe avec de l'eau, et les jambes aussi.* » Demain matin, ajoute le petit punk, il lui apportera un bon petit déjeuner. « *Qu'est-ce que tu veux pour manger, profite, en période de sevrage, tu peux demander tout ce que tu veux, du pain frais et de la confiture, du café au lait ou bien un chocolat chaud. Je vais te lire des poèmes de Lucien, pour que tu te concentres sur les mots, écoute bien, que chaque mot devienne un ami, que tu ne penses plus à ton corps ni à ton mal, écoute les poèmes de Lucien :*

*Viens donne-moi ton cœur à porter, j'aurai des gants de peau d'amour et nul chagrin ne viendra nous offenser. Donne-moi ton épaule à porter de mes deux mains arrondies d'eau et des bretelles de candeur. Attends ne quitte pas nos lendemains je vais d'abord te décoiffer pour te coiffer d'un chapeau doux avec des prunes d'arbousier des pommes de frondeurs.* »

Tout se mélange. Patrice s'endort. Sommeil en feu. Draps humides et chauds pleins de sueur. Patrice sait qu'il a dormi seulement parce qu'il se réveille avec les dents comme des coquilles de craie. Il pense : elles vont se dissoudre dans l'eau. Les muscles sont tétanisés et ses articulations prêtes à casser comme des cuisses de poulet. Patrice se sent une dinde froide. Friable. Le petit punk est toujours là, qui le regarde attentivement. Quelques minutes plus tard, une jeune femme entre dans la chambre, un bol de faïence sur un plateau de bois. Une boisson concoctée avec les plantes de Lucien l'herboriste. Il faut le boire, ça réchauffe. C'est le début du traitement. Il faut tout boire et se mettre debout. Interdiction de rester allongé.

« *Patrice, mets-toi debout, tu vas venir marcher avec nous. Nous allons t'encadrer, te soutenir, on te lâchera pas. Tu dois boire la tisane jusqu'au bout.* »

Deux géants, derrière la porte de la chambre, attendent Patrice. Des bagnards, avec une drôle de tête tannée par le soleil, aux tempes renflées, des molosses aux hanches étroites. Ils ne parlent pas un mot de français, et Patrice commence à flipper sur les types, il a l'impression qu'on vient le chercher pour le battre, mais le petit punk lui explique : « *T'inquiète, c'est les pêcheurs basques du centre, on dit que le gouvernement espagnol, pour calmer l'ETA, aurait autorisé les médecins à prescrire des chlorhydrates de morphine. T'imagines au Pays basque, tu trouvais des opiacés comme de l'aspirine ! Ils ont fini accros. Physiquement, c'est des bêtes, mais ils ne sont pas méchants, ils restent qu'entre eux.* »

Les deux pêcheurs aident Patrice à se mettre debout. C'est douloureux sous la voûte plantaire, comme si ses pieds ne lui appartenaient plus et qu'il les écrasait. Oui, comme s'il marchait sur ses pieds au lieu de marcher avec. Les géants ont de gros manteaux, mais Patrice ne porte presque rien sur lui, une chemise et un pull, il transpire, il a chaud, mais il a peur d'avoir froid dehors, avec le vent. Il veut qu'on lui donne son manteau, dans sa valise. « *Mais non,* lui dit le petit punk, *tu vas voir comme tu vas transpirer, avec la tisane de sevrage de Lucien, les pêcheurs ont des thermos avec eux, ça va t'aider à éliminer les toxines.* »

Patrice marche. Un pêcheur devant lui et un derrière. Ils avancent dans la forêt, longeant des chemins inaccessibles à la mer, à cause de la falaise qui règne presque partout. Et puis arrivent d'autres routes détestables, le long de la côte.

Patrice dit qu'il n'en peut plus, qu'il ne réussit pas à marcher, que la douleur est trop grande. Mais les pêcheurs n'écoutent pas les plaintes – de toute façon ne comprennent pas la langue. Patrice se laisse tomber à terre, alors les pêcheurs se baissent pour le ramasser, le forcer à marcher. Patrice, avec sa peau blafarde, ses mèches blondes et ses mains de fille aux veines bleues, ressemble au Christ. De loin, on pourrait croire une mise au tombeau – mais inversée. Joseph et Jean attrapant Patrice dans leurs bras en arche, sans un mot, sans une parole. Pour qu'il ne sombre pas. Et toutes les heures, lui faisant boire une tasse de la tisane diurétique de Lucien.

Et Patrice se remet en marche, se pissant à moitié dessus, transpirant comme une bête.

Au croisement d'un chemin, au loin, Patrice aperçoit deux autres molosses, comme un mirage sur la route. Ils viennent prendre le relais, échangent quelques mots incompréhensibles avec les premiers molosses, et reprennent la route, un devant, un derrière.

Et puis le lendemain, c'est la même chose. La même nuit, dans la même chambre, avec le petit punk pour veiller sur Patrice. Les poèmes de Lucien. Les membres cassés. La fièvre. Toute la trachée en feu. L'impression que quelqu'un scalpe la peau du cerveau. Et les taches devant les yeux fermés. Les formes qui deviennent des auréoles.

Et encore les pêcheurs basques, qui viennent le matin, avec leurs tisanes diurétiques. On ne peut pas leur parler. Ils prennent le même chemin de la forêt, puis une route de campagne, quelques voitures passent, mais Patrice ne les voit pas, ne les entend pas. Pendant ce temps, Matilda téléphone, pour avoir des nouvelles. « *Tout se passe très bien.* »

Patrice arrive sur la plage de Villers-sur-Mer, il ouvre les yeux si grands qu'ils semblent déchirer son visage. Il ne comprend pas tout de suite le tableau qui se dessine devant ses yeux. Le 22 août 1944. Patrice se retrouve en plein débarquement.

Tout se passe en même temps, comme si on avait

superposé les minutes des bobines d'un film, au lieu de les faire défiler : l'arrivée des barges, l'allumage des feux, les dizaines de morts, les carcasses de bateaux échoués, les tanks, les canons. Tout ça bouge, vit, respire, il y a des blessés qui hurlent. Tous ces jeunes garçons, dont on ne voit que les têtes émerger des bateaux, des casques bombés recouverts de résilles, des sortes de filets de camouflage, qui flottent sur des canaux. Ça bouge au ralenti. Ils sont tous accroupis au fond des navires qui glissent à cause de l'eau de mer devenue tiède avec la chaleur des corps. Ils ont passé les nuits précédentes dans des cales, au milieu du matériel, entassés les uns sur les autres comme des animaux séchés. Les carcasses de bateaux, au bord de l'écume, dans les vagues. Il y a ceux qui ont besoin qu'on les sorte de l'eau, et ceux qui sont déjà morts, ondulent au gré des vagues. Des casques flottent de-ci de-là. Des fumées noires, d'autres blanches, viennent des falaises ; des flammes rouge cerise, et puis des bateaux US, plus loin à l'horizon. Et derrière eux, en files indiennes, remontant vers la terre, des centaines de soldats, qui enjambent les cadavres d'autres soldats, on dirait des fourmis, qui tiennent leur fusil contre leur cœur, et ils ne voient pas Patrice et les pêcheurs basques, personne ne fait attention à eux, dans le grondement qui vient de tous côtés, et puis soudain il y a un tank, et d'autres soldats, avec des casques cerclés de blanc, ils ont sauté sous une bombe de mortier et la plupart sont blessés.

Et Patrice hurle aux pêcheurs basques qu'ils doivent se protéger, qu'il faut partir de la plage, pour ne pas mourir sous les bombes. Mais les pêcheurs ne comprennent rien – ils ne voient que le calme de la mer. Le ressac de l'eau. Et Patrice tente d'échapper à la bombe qui arrive sur eux, il se met à courir vers la colline. Les pêcheurs pensent qu'il tente de s'évader. Ils courent après lui, attrapent ses jambes comme un petit mouton, avant de le frapper au ventre et dans les jambes.

De retour dans sa chambre de sevrage, Patrice pleure longtemps, devant le petit punk. Il s'est assis sur son lit, les fesses au rebord, torse nu à cause de la chaleur et de la transpiration. Il pleure. Il ne veut plus aller marcher. Il ne veut plus se faire taper dessus par les pêcheurs basques. Il ne veut plus boire des tisanes, de houx et d'orties. Il les a aperçus, le long d'un chemin, les autres membres du centre, qui ramassent les orties avec les mains, sans gants. Patrice voudrait qu'on lui donne des médicaments pour l'aider. De la chimie. Patrice pleure et les larmes coulent à l'intérieur de la bouche, au fond du palais, dans la gorge. Peut-être est-ce à cause des tisanes de Lucien, peut-être qu'ils mettent des drogues, exprès, pour donner des hallucinations. Et Patrice pleure, avec ses cheveux qui pleurent, ses mains qui dégoulinent, sa mâchoire qui ne peut plus se desserrer – cela va durer encore longtemps ? Combien de jours, pendant lesquels Patrice ne pourra pas sortir de sa chambre, seulement pleurer. Le petit punk lui dit continue, pleure, pleure, cela fait du bien, pleure sur les jours tristes et les jours heureux, pleure sur l'enfance qui est un leurre, pleure sur toutes les choses que tu as oubliées.

Au bout du cinquième jour, Patrice comprend pourquoi ils ont aveuglé le miroir avec du gros scotch noir. Le petit punk est toujours là, à côté de lui. Il lui dit : « *Je vais te faire prendre un bain* » avant de l'aider à sortir de la chambre. La salle de bain est vieille, le plancher gondole, moisi à certains endroits. Les murs sont peints d'un vert d'eau, avec des reflets de lumière. Patrice pense qu'il n'a pas entendu d'oiseaux depuis qu'il est arrivé au centre, malgré les arbres et malgré la forêt. La baignoire repose sur des pieds, elle est grande et blanche comme une baleine retournée, éventrée. Le petit punk fait couler l'eau, puis il jette dans le bain quelques plantes – encore l'herboristerie de Lucien –, la vapeur d'eau se parfume de thym. Le petit punk se rapproche de Patrice maintenant que la salle de bain est bien chaude et le bain presque rempli. Il l'aide à se déshabiller. Enlever le T-shirt et y passer la tête. Il se met à genoux pour lui retirer son jean, la tête au niveau du sexe, mais Patrice ne pense pas à cela, il pleure encore, il ne veut pas entrer dans l'eau propre. Il n'a pas le choix. Et quand le petit punk lui baisse le slip, qu'il fait glisser le long des genoux, Patrice se cache simplement avec ses mains, puis il enjambe le rebord de la baignoire, pour y plonger un pied tremblant. L'eau est trop chaude, mais c'est agréable. De brûler. Parce que la douleur de la brûlure atténue celle des os à l'intérieur.

Il faut du temps pour déplier les membres, prendre sa place dans la baignoire, détendre les muscles. Mais c'est bon. Pour la première fois, Patrice dans l'eau regarde le petit punk. Son visage. Il a quinze ou dix-sept ans, encore un adolescent. Sa mâchoire est large mais le menton charnu de l'enfance. Tous les angles sont ronds, sans aspérités. Sur la peau de ses joues, une face veloutée, d'une brillance parfaite, légèrement bleutée par un duvet d'oiseau à l'orée des oreilles. La bouche aussi est ronde, large comme le nez. Son regard est cerné, noir, noirs aussi les paupières et les sourcils. La crête d'Iroquois est petite, décolorée sur les pointes, des dizaines de petits pics dressés. Les mains sont pote-lées, et Patrice imagine son sexe aussi. Immense. Doux.

Le petit punk s'approche de la baignoire, il est à genoux dans la lumière verte de la fenêtre, réfléchie par les murs. Il plonge son coude dans l'eau, comme lorsqu'on vérifie la température pour les nouveau-nés. Il dit « C'est chaud » et fait des remous avec ses mains. Il n'a pas enlevé ses grosses bagues d'argent, avec des têtes de mort et des toiles d'arai-gnées. Il dit :

« *Tout amour sans effort est vain. Et tout effort sans amour est nuisible.* C'est Lucien qui m'a dit

243

ça. J'avais quinze ans quand je suis arrivé ici, il y a un an. J'étais un déchet, un taré. Ils avaient rien su faire de moi. J'étais violent même, je renversais les tables ; j'ai tapé une fille espagnole. Plus petite que moi. Une de douze ans. Je pensais qu'elle avait ramené des trucs et qu'elle ne voulait pas partager. Mais elle était clean, en vrai je l'ai frappée parce qu'elle était prostituée. Comme moi. Et qu'elle se fixait au cheval. Comme moi. Et je la détestais pour ça. Je voulais la tuer. Je lui ai cassé une dent. Il a fallu la faire refaire. C'est Lucien qui a tout payé. J'ai peur des docteurs. Ah tu entends ? Il pleut. J'aime bien ici le bruit de la pluie. C'est génial quand il pleut, même si ça va faire des inondations. Tu connais Lester Bangs ? Je crois qu'il avait peur des docteurs aussi, à cause des blouses blanches. C'est un type qui m'a dit ça. Tu connais les Stranglers ? C'est mon groupe préféré. Lucien dit qu'on peut écouter du punk si on veut, mais qu'il faut comprendre les paroles. Il y en a une, *La Folie*, ils chantent en français, alors je comprends les paroles. »

Patrice se détend dans le bain, les muscles des bras sont devenus malléables, la peau a repris un aspect marbré, blanche et rose, les veines des mains ont dégonflé, le sexe flotte, hésitant, mais plein de courage et le petit punk chante doucement, en écoutant le bruit de la pluie. Et la chanson des Stranglers parle de la folie, des ombres de la nuit, au petit matin, au petit gris, des mensonges et des soi-disant lois du cœur. Et la chanson demande combien en sont arrivés là à cause de la folie ? Le petit punk se dit que c'est bon maintenant, Patrice pourra sortir de la maison du sevrage, il va pouvoir rejoindre les autres. Intégrer la communauté.

Grâce au bain, Patrice a pu dormir quelques heures. A son réveil, ils sont plusieurs dans la chambre. Pour Patrice, ce ne sont encore que des formes. Bientôt, il les connaîtra mieux que sa famille. Mais pour le moment, il ne distingue qu'une femme, plutôt vieille. Jean-Philippe, celui qui ressemble à un prêtre en blouson noir. Quelques jeunes gens, aux allures hippies. Ou mal habillés. Des survêtements. Des baskets pourries. Et ça n'annonce vraiment rien de bon, Patrice trouve que c'est déprimant, à la fin, la fréquentation des gens qui se laissent aller. Si Nick voyait ça. Sur le lit, ils ont déposé un plateau, avec un grand bol blanc à facettes bleues, en porcelaine, dont l'eau bouillante fume, parfumée de houblon et de passiflore – une des tisanes sédatives de Lucien. Sur le plateau, il y a aussi un verre, avec le jus d'un citron pressé, mélangé à deux cuillères d'huile d'olive vierge, et puis une belle pomme et un morceau de pain grillé sur gazinière, ce qui lui donne cette couleur noire à la surface de la mie.

Jean-Philippe s'approche de Patrice, il a un torchon de lin, avec une bande rouge, plié au creux du coude, comme un serveur de restaurant. Jean-

Philippe explique que ce petit déjeuner est une offrande. « *Un hommage à l'amitié et à la tendresse qui devraient toujours régner entre les êtres humains.* » Ce sont les mots de Lucien. Patrice s'assoit face au plateau fumant. Il le regarde en se demandant comment son estomac va-t-il supporter tout ça ? Patrice pense que c'est la chiasse assurée. Jean-Philippe continue de parler : voilà, tu as terminé la période du « sevrage bloc ». C'est le plus difficile, physiquement. Mais tu peux être fier. Tu t'en es sorti par toi-même. Maintenant, chaque jour sera plus doux que la veille. Il va y avoir les crises de manque, oui, et les crises d'angoisse. Mais nous serons toujours là pour t'aider et t'accompagner. Tu ne seras jamais seul. Plus jamais seul. Nous ne remplacerons pas la dope par une autre saloperie. Nous l'évacuerons grâce à la volonté de l'entraide humaine. Au début, tu penseras peut-être que nous sommes des fous. Tu nous détesteras, même. Parce que nous serons chaque jour heureux de nous lever avec le soleil. Toi qui t'es levé pendant des années, à l'heure où il se couche. Tu ne comprendras pas notre bonheur de faire notre jardin, chaque jour, dans la patience de ce que la nature a à nous apprendre. Tu chercheras un médecin pour te donner des substituts et tu trouveras un homme pour te donner du courage. Tu chercheras un psy pour te plaindre, tu trouveras une femme qui a connu les mêmes souffrances que toi. Et dans quelques semaines, bien plus vite que tu ne le penses, tu comprendras que jusque-là, tu avais envie de mourir. Et que maintenant, tu as envie de vivre. Dans un quart d'heure, tu vas entendre une cloche retentir. Tu viendras nous retrouver au manoir, pour commencer ta première journée parmi nous. En attendant, profite de ce pain, de cette chaleur, de ce petit déjeuner de bienvenue.

Le petit punk le prend dans ses bras pour lui dire au revoir, car il part l'après-midi même pour la Boère, le centre historique du Patriarche, près de Toulouse. Lucien a des projets pour lui, là-bas : l'accueil des équipes de mineurs venus d'Espagne. C'est difficile, de quitter, comme ça, les copains. Mais il est en train de monter en grade. D'avoir des responsabilités. Voire de gagner un peu d'argent. Qui sait. Au loin, très loin, le bruit de la cloche. Comme les vaches, dans les prés. Il faut se dépêcher de rejoindre les autres, Patrice doit s'habiller chaudement et le suivre. Maintenant.

Une foule, dans la cour du manoir aux colombages, écoute un homme. Une sorte de chef, grand, le visage très ridé des types qui ont dû être plus défoncés que des terrains vagues. Il ressemble à Howard Marks, avec sa touffe de cheveux gris en pagaille, les lèvres épaisses, des yeux, restés trop longtemps mi-clos. Le type prononce des prénoms, fait « l'appel » et présente aux autres le nouvel arrivant, demandant à chacun de l'accueillir et de le guider dans ses premiers jours au centre. Patrice finit par comprendre qu'on parle de lui. Il flippe, ses chevilles en argile manquent de se briser sous les pas. Il pense à ce tableau de Barker du Christ sur la croix. Il aime ce tableau plus que les autres, parce qu'il montre ce que les yeux du Christ voient. Le spectateur est dans les yeux du martyr, face à la foule agglutinée.

A la fin de l'appel, Howard Marks insiste sur la discussion qu'ils ont eue, la veille. Tout le monde doit participer aux travaux. Les retardataires à la cloche et les absents de l'appel doivent se remettre profondément en question, individuellement et par rapport au groupe. Le projet d'aménagement de vie du centre concerne la vie de tous. Refaire le toit d'une chambre pour les copains, même si on n'y dormira pas, c'est une énergie positive qui nous revient, aussi sûrement qu'un boomerang. Howard Marks tient à rappeler les mots de Lucien, pour qui l'acte généreux, l'acte gratuit, fait partie des nécessités vitales chez l'homme. Contrairement à la société actuelle, qui veut que chaque acte humain soit évaluable, échangeable, comptabilisé. Pour la société actuelle, travailler à embellir une maison, ou mettre en état des bâtiments qui ne vous appartiennent pas, est un non-sens. Alors que ce devrait être le cœur de toute activité.

*« J'insiste pour que chacun participe à ces travaux, car, ce faisant, il s'associe aux projets d'aménagement du lieu de vie qui est celui de tous. »*

Tous se mettent en mouvement, certains éteignent leurs cigarettes avec leurs pieds, d'autres zippent leurs manteaux, chacun se disperse par grappes, discutant, se faisant la bise. Une blonde décolorée, les pommettes hautes, un visage en poire renversée, se dirige vers Patrice avant de dire au petit punk : « C'est bon, merci, je prends le relais. » Elle s'appelle Cathie. Elle a dix-huit ans mais en donne plus. Timidité maladive, parents comptables à Rouen, elle a commencé par le haschisch à quinze ans, alcool, tentative de viol dans une boîte de nuit par son cousin, dépression, première ligne de coke offerte par un type, un « grand » qui traîne autour du lycée, histoire d'amour avec ce dealer, devient accro à la cocaïne, début de prostitution, quitte l'école. Ses parents s'inquiètent, achètent un livre sur le Patriarche devant la poste de Rouen, rencontrent Lucien, le sauveur, sont prêts à tout donner pour sortir leur fille de la merde. C'est avec Cathie, aujourd'hui, que plusieurs personnes vont travailler à « l'environnement ».

Patrice est en binôme avec Rémi. Leur mission de la matinée consiste à ramasser les mégots de cigarettes qui jonchent le sol, depuis la route jusqu'à l'entrée du manoir. Il fait froid. Il est huit heures. Patrice a les os qui craquent à l'intérieur des pieds et c'est douloureux. Il ne veut pas ramasser des mégots de clopes comme un éboueur, avec Rémi, immense et attardé mental, les dents de devant trop grandes pour sa bouche, asséchant ses lèvres.

Il postillonne quand il parle. Patrice pense que ce n'est pas un ancien tox. Seulement un mongolien ; il ne veut pas passer la matinée avec un mongolien ; il a envie de pleurer.

Rémi a commencé à sniffer de la colle à huit ans, avec les autres enfants, dans sa campagne. Plus fragile que les autres, à dix ans, il est déjà accroché à tous les solvants, colle à rustine, peinture, vernis, eau écarlate. Le cerveau est attaqué. Personne ne s'occupe de lui. Le débile. Lui qui aimait tant voir les animaux mettre bas, les petits poulains et les petits veaux. Il devient nerveux, jusqu'à s'en prendre aux bêtes. Il rend aux animaux les coups qu'on lui donne. Gestes d'humiliation et de violence. Un jour, Lucien est venu à la ferme, pour proposer des échanges, du travail d'aide en retour de nourriture pour le centre. Il s'est mal fait recevoir, mais il est reparti avec Rémi. C'était il y a huit ans.

Depuis, Rémi fait de « l'environnement » tous les jours, contrairement aux autres, qui tournent sur les chantiers. Ça ne le dérange pas, parce qu'il aime bien porter les sacs plastique. Patrice, assis sur le bord de la route, regarde Rémi, le géant aux cheveux blonds dressés sur la tête, relevés d'un bandeau de tennisman, et Patrice pense que ce type ressemble à un balais. Et c'est pour ça qu'on lui fait faire la femme de ménage. Patrice n'écoute plus, ne bouge plus. Il se demande s'il ne préférait pas encore marcher sur la route avec les pêcheurs basques.

Rémi regarde sa montre Swatch transparente que Lucien lui a offerte. Il aime observer le mouvement des mécanismes. C'est l'heure de déjeuner. Lorsque sa joie déborde, le corps de Rémi se met à trembler, dans une légère convulsion. Il pousse plusieurs petits râles. Le repas est servi dans un des bâtiments derrière le manoir. Les tables de cantine datent du temps des enfants de cheminots, elles sont un peu trop basses pour les adultes ; les assiettes sont transparentes, assorties aux verres Duralex et les couverts sont en inox. Patrice s'assoit à côté du sosie d'Howard Marks pour lui dire qu'il veut récupérer ses papiers et rentrer à Paris maintenant. Howard Marks lui propose d'attendre demain et de parler de tout ça à la réunion du soir. Il ne faut pas prendre de décision hâtive. S'il sort maintenant, il va flipper, alors qu'il a déjà fait le plus difficile. Demain, s'il veut, il pourra téléphoner à Matilda. Pas aujourd'hui.

Près de la porte d'entrée, Howard Marks rejoint Cathie. Il est mécontent : elle n'aurait jamais dû mettre le nouveau avec Rémi. C'est un artiste, il fait partie du « nouveau Patriarche ». Trouville doit devenir un centre d'un genre particulier, à long terme, Lucien veut sélectionner les membres, afin d'installer un ensemble hôtelier haut de gamme, pour l'accueil des familles. Le bouche à oreille fonctionne à Paris, dans les milieux artistiques. On envoie sous le manteau les enfants de chanteurs, le milieu du cinéma s'intéresse à lui – les politiques aussi. Le fils d'une secrétaire d'un ancien

président de la République est en cure actuellement. La plupart ne viennent qu'en désintoxication de cocaïne-chocolat-champagne, envoyés par
leurs parents affolés. Papa et maman sont à Deauville pour les vacances, ils peuvent en profiter pour
rendre visite discrètement à leur progéniture. C'est
pour ça que Lucien veut faire des chambres haut
de gamme et former des cadres à la restauration.
Parce que les gamins se plaignent du dortoir et de
la bouffe. Il y en a même un, fils d'un manager
de variété française, qui est arrivé avec une boîte
de havanes, trouvant que l'hôtel n'était pas confortable. Au début Lucien les renvoyait, ces gosses de
riches. Puis il a réalisé que c'était lui, qui n'avait
rien compris. Il y avait un potentiel énorme. Il suffisait de bien s'organiser, et de ne pas trop mélan-
ger les genres. Quelques durs à cuire, une dizaine
de prostituées espagnoles, pour que la bourgeoisie
s'encanaille, mais pas trop. Et Trouville deviendrait,
à long terme, un centre chic et choc, pour la jeunesse
dorée de Versailles, de Bordeaux, du 16e arrondissement et de Saint-Germain-des-Prés. Bientôt même,
se serait le « nec plus ultra » de séjourner à Trouville, et Lucien deviendrait un mythe, comme Guattari à La Borde. Mais il y avait beaucoup de travail
à fournir pour mettre les lieux en état. Il fallait du
baba chic, de l'hippie confortable, avec feu de cheminée, certes, mais aussi des radiateurs.

C'est pourquoi des gens comme Patrice Maisse
devaient être traités avec un peu de considération.

Et ne pas être flanqués de Rémi le mongolien dès le premier jour. Maintenant le sosie de Howard M. devait rattraper le coup. A cause de Cathie. Toujours les bonnes femmes. De toute façon, Cathie était une ex-favorite de Lucien. Il l'avait baisée pendant un an, c'était fini, Howard n'avait plus rien à craindre d'elle. Au contraire. Lucien adore qu'on prouve que ses chiennes ont la rage, quand elles ont dépassé la date de péremption.

Après le déjeuner, Patrice est donc envoyé à la réfection des chambres, dans le grenier du manoir. Avec Jo, une Catalane de dix-huit ans qui finit toujours par montrer ses seins. Fredo et Jalil, deux ex-taulards, la vingtaine, au Patriarche depuis quelques mois. De bons éléments ; Fredo a fait une rechute le mois dernier, Jalil, lui, n'a jamais sombré. Ils aiment la rigolade et sont sympathiques, deux bonnes pâtes sans histoires. Ils aiment bien bricoler avec les petites Espagnoles, se font sucer en duo pendant les chantiers – le sosie d'Howard M. pense qu'ils peuvent contribuer à effacer les mauvais souvenirs de la matinée.

Fredo explique à Patrice le problème du toit, qui n'est pas étanche dans cette partie du manoir. Sur tout l'ensemble du bâtiment, dès qu'on touche un plafond, ça manque de tomber en lambeaux. Des plaques entières s'effritent. Et le toit, c'est une catastrophe. La difficulté, c'est que là où ils se trouvent, il y a deux nids d'hirondelles, Patrice peut d'ailleurs observer les traces de fiente caractéristiques, à ses pieds. Il faut trouver un moyen de déplacer les nids sans les toucher ni les détruire, avant de commencer les travaux. Et ça leur semble très compliqué. Et faudrait attendre Paulo, le spécialiste des animaux sur le centre – surnommé « véto » par les nouveaux –, mais là, Paulo est en déplacement en Belgique. Du coup, ils sont un peu bloqués et vont plutôt donner un coup de main au premier – il est prévu d'installer des salles de bain à cet étage.

Fredo est coiffé en brosse, avec une petite mèche qui tombe sur le front. Il a commencé la défonce vers seize ans, avec les garçons du quartier, entre la rue Henri-Monnier et la rue Jean-Baptiste-Pigalle, à l'époque où ce Paris était sale et les gosses aussi. Dans la bande, ils étaient de véritables malades, Fredo avait même sniffé de l'essence de mobylette à l'âge de dix ans. Seul garçon d'un boucher de Montmartre, le père n'était pas affectueux – la mère non plus. Mais ils s'inquiètent et envoient Fredo en pension, à Lyon, parce qu'ils ont de la famille là-bas. Quand Fredo revient à Paris, après son bac, tous les copains de la bande sont passés de la colle néoprène aux injections d'héro. Son meilleur pote, en guise de retrouvailles, lui a foutu directement la seringue dans le bras. C'était cadeau. Mais pour en ravoir, il faut payer. Alors Fredo a volé dans la caisse de la boucherie, et l'apprenti du père s'est fait renvoyer. Comme l'argent continuait à disparaître, c'est la caissière qu'on a remerciée. Puis finalement, Fredo s'est fait attraper par ses parents ; ils n'allaient quand même pas dénoncer leur fils à la police ? Alors c'est la descente aux enfers. Trafics, défonce, deals, pour finir en prison à l'âge de vingt ans. « Comme je me suis bien comporté, raconte Fredo, le juge de remise de peine m'a proposé d'aller au Patriarche et deux anciens sont venus me parler. J'ai bien aimé ce qu'ils m'ont dit, ça fait dix mois que je suis ici, et je me sens bien, dans mon élément, mes parents sont contents pour moi, même s'ils ne viennent jamais me voir, mais j'ai des nouvelles par mes sœurs, c'est bien. »

Patrice les suit. Au moins, il fait plus chaud que dehors. Et ils ne sont pas mongoliens. Patrice veut téléphoner à Nick, pour qu'il vienne le chercher, demain. Et puis il se ravise. Il serait trop content, dans sa Bentley, sur le chemin du retour. Patrice préfère encore supporter les pêcheurs basques que l'air de satisfaction de Nick.

« *Lucien,* raconte Fredo, *a été Hercule de foire dans sa jeunesse, puis brocanteur du côté de Toulouse. Au début des années soixante-dix, une dizaine de hippies ont croisé sa route, il les a aidés à décrocher, c'est comme ça qu'est née la Boère. C'était les tout premiers, qui sont tous devenus cadres aujourd'hui. J'ai visité la Boère, c'est magnifique, je te jure, il y a un immense Bouddha dont le ventre est un foyer de cheminée.* »

A la réunion des cadres, la veille, Jalil a entendu dire que Patrice serait encadré par Gérard Rambert, et qu'ils vont partager un lit superposé au dortoir. Il prévient Patrice que le type est spécial, au début, et puis on s'habitue. Il paraît que lorsque Rambert est arrivé à Trouville, ils n'ont pas réussi à le sevrer au début. C'est pas avec deux pêcheurs basques qu'il a fait sa marche, mais avec douze. Il en fallait douze pour le tenir. Il paraît même qu'il s'est défoncé avec Keith Richards.

« Ici, ajoute Jalil, l'ambiance est un peu entre la colonie de vacances et le monde pénitentiaire, mais on s'y fait vite. Le seul vrai problème c'est la nourriture. Tu verras. Moi ça fait dix-huit mois que je suis là. Je reste parce qu'un matin, peut-être un mois après mon arrivée, je me suis levé, et j'ai eu envie d'aller sur la plage. Tu vois ce que je veux dire ? Après dix ans de came, dont deux en prison gavé de sub, dix ans de mensonges, de mauvaise foi, de vols, j'ai eu simplement envie d'aller voir la mer. Mais je veux pas faire ma vie ici des années, je veux pas devenir cadre, pour moi le Patriarche c'est qu'une étape. Je suis pas comme ceux qui adhèrent au truc tu vois, se découvrent une âme de gentil organisateur et s'impliquent à fond. Je vais retourner dans ma famille, voir ma mère, moi je suis coiffeur à la base. »

Fredo est de mauvaise humeur à cause de la petite Catalane qui fait des blagues sur Lucien. Ça l'énerve que les filles tombent toutes amoureuses de lui. Quand il est de passage au manoir, chaque soir, Lucien désigne une fille, qui doit lui apporter sa tisane dans la chambre. « En général, explique Fredo, il tape dans les petites Espagnoles qui viennent d'arriver, celles qu'il ne connaît pas encore, parce qu'il y a du choix, qu'elles sont très jeunes, et rares sont celles qui ne se sont pas prostituées. Elles sont moins farouches que les Françaises, les familles ne sont pas derrière. Mais comme la plupart sont "plombées", on ne sait pas vraiment ce qu'il bricole avec elles. Tout ça pour te dire, t'attache pas aux Espagnoles, elles passent toutes à la casserole. »

A dix-huit heures, les activités cessent dans le centre. Et dans un mouvement inverse, les grappes dispersées du matin se retrouvent au premier étage du manoir. Tous les membres sont de nouveau réunis par groupes, chacun discute dans cette immense pièce au parquet de bois, dont les fenêtres donnent sur la mer, au loin, le port du Havre. D'un côté le vertige de l'eau, de l'autre cette foule de gens, Patrice a le tournis, comme lorsque les pupilles sont violemment soumises à la lumière, après s'être longtemps habituées à l'obscurité.

La réunion commence par la vente des livres et des journaux. Le groupe de Rouen a bien marché, ils ont épuisé la palette en provenance de l'imprimerie de Toulouse. Il n'y a même pas eu de problème avec la voiture – et là, tout le monde se met à rire, puis on applaudit les vendeurs, qui rougissent, de gêne ou de plaisir.

Puis Jean-Philippe, celui qui ressemble à un prêtre en blouson noir, prend la parole. C'est un des cadres les plus importants de l'association. Il a fait parti des premiers, arrivés en 75 à la Boère. Dealer dans les années soixante, il a fait venir du shit d'Afghanistan, via Londres. Vie facile, grands hôtels, beaucoup d'argent, il ne se fait pas attraper pendant cinq ans. Puis il passe à la cocaïne, se fait arrêter en 71, entend parler de Lucien en prison, et se rend directement au Patriarche le jour de sa sortie. Aujourd'hui, il dirige le centre de Trouville, et rappelle qu'il y a des règles au Patriarche. Mais que ces règles ne doivent pas seulement être respectées, elles doivent surtout être comprises. Respecter sans comprendre le comment du pourquoi, ça ne sert à rien dit-il. Ça c'est bon pour les instituts à l'extérieur. Ici c'est différent, faut-il encore le rappeler. Ici le jeune n'est pas exclu de l'organisation de sa propre vie. Ensuite Jean-Philippe parle de la météo. Ça va se refroidir dans les jours qui viennent. Sérieusement. Du coup, les plus solides iront sur le chantier de démolition d'Hennequeville. Que ceux qui sont partants lèvent la main. Il faut aussi quatre personnes pour travailler au garage d'un ami de Lucien, on a promis de l'aide pour demain. « *Je veux pas des nouveaux, trop fragiles pour l'extérieur.* »
Patrice ne peut pas s'intéresser à tout ça, il ne

se sent pas « concerné ». Il regarde le noir de la mer. Matière molle. Il prend sa tête dans ses mains, la plonge entre ses coudes, comme lorsqu'il était petit, à l'école. Les autres parlent de Carmen, une des filles de Barcelone qui vient d'être débarquée à Trouville ; apparemment, elle pose beaucoup de problèmes depuis son arrivée. Carmen a commencé à piquer des coupe-faim dans l'armoire à pharmacie de sa mère quand elle avait huit ans, puis elle a carburé pendant sept ans aux amphétamines. Une pauvre gosse. Elle a le cerveau vitrifié. Une fille de quinze ans, belle comme le jour. Mais débile. Elle est complètement nympho et ça gêne les autres filles, qui trouvent que les mecs abusent d'elle, ils en profitent, parce qu'elle se fait sodomiser à tour de bras. Sauf qu'elle ne se rend compte de rien. Et les filles trouvent que cela met une mauvaise ambiance dans le centre. Patrice comprend que Carmen est la gosse assise sur une table, qui se marre, la tête baissée entre ses genoux, parce qu'elle sent bien que c'est d'elle qu'on parle. Elle est toute petite, ses pieds se balancent dans le vide, des jambes nues, une peau marron, parfaite, un petit short en jean, un perfecto usé et des cheveux courts de garçon, noirs et bouclés.

Une femme prend la parole. Patrice ne l'avait encore jamais vue. A la manière dont elle s'adresse aux autres, son autorité, il a l'intuition que c'est une chef elle aussi. Une cadre. De loin, on dirait un homme, les épaules larges, les cheveux drus, coupés court et gris qui forment une auréole tout autour de sa tête. Deux bosses de chameau, au milieu du torse, sous un pull bleu clair délavé, témoignent de la présence de deux gros seins avachis. Elle porte une chemise blanche, épaisse, dont l'un des cols est rentré à l'intérieur du pull, sur lequel pend une paire de lunettes accrochée à un cordon rose fluorescent. Sa voix, en revanche, est douce, tendre et moelleuse comme une chair fraîche. Elle rappelle que les deux internes en médecine, qui avaient désiré venir faire un stage dans le centre, ont été renvoyés suite à la réunion de lundi dernier ; d'une part, il a été confirmé qu'ils se comportaient à l'égard de certains pensionnaires, comme des « médecins », or, au Patriarche, faut-il le rappeler, il n'y a pas d'un côté les « soignants » et de l'autre « ceux qu'il faut soigner ». Comme le dit Lucien, « *nous sommes tous égaux, indépendamment de notre position dans le groupe et de notre statut devant les problèmes* ». Par ailleurs, les deux stagiaires se rendaient tous les jours, à l'heure des réunions, à Trouville, pour boire un apéritif alcoolisé. « Or je rappelle les règles obligatoires du centre : pas de drogue, pas d'alcool, pas de médicament de soutien, lever à heure fixe et participation de tous au planning. *"L'apprentissage de la vraie vie se fait dans la liberté et dans l'amour"*, là encore, une parole de Lucien qui nous accompagne au quotidien. Ils ont donc quitté le centre ce matin même, en laissant une lettre d'excuse à Lucien, et en nous demandant de faire part, à chacun des pensionnaires, de leur regret de quitter le manoir prématurément, avant qu'ils aient pu apprendre tout ce qu'ils avaient à apprendre de nous. »

Une femme d'une trentaine d'années prend la parole. Elle ressemble à Carole Tredille, Miss Savoie 1984, la blondeur, la mèche en vague sur le front large. Elle s'occupe du courrier, c'est-à-dire qu'elle ouvre les lettres, les lit, puis les distribue. La fille n'est pas là pour dénoncer, mais elle est inquiète de la situation : un trip d'acide a été trouvé la semaine dernière sous un timbre. Ça a fait flipper tout le monde. La semaine précédente, elle avait déjà décelé du palfium en cachets. Le lendemain, Ludo a fait une rechute qui a ensuite provoqué la crise de Bénédicte. Puis il y a eu l'envoi d'une tisane au pavot – tout le monde sait qu'avec cette tisane en vente libre on peut fabriquer un gramme d'opium. Ce matin, elle a découvert dans une carte postale épaisse, avec un double fond, quelques grammes de poudre. Il faut que ce trafic cesse, parce qu'il y a des mauvaises vibrations au manoir à cause de tout ce merdier. Voilà, c'est tout ce qu'elle avait à dire, elle laisse la parole à d'autres pour qu'on désigne les OVNI de la journée de demain – ceux qui, chaque jour, tournent d'un endroit à l'autre, d'un groupe à l'autre, pour vérifier la coordination de chacun.

A présent, Rémi doit emmener Patrice dans la salle du Télex, pour qu'il y récupère sa valise.

Jean-Philippe lui a confié cette mission, il est heureux, qu'on lui fasse confiance et de revoir le nouveau. Il guide Patrice entre les couloirs du manoir, pour arriver dans une pièce exiguë, où deux personnes, clope au bec, travaillent, comme emboîtés l'un sur l'autre. Au milieu de la pièce trône le Télex, énorme carapace grise et bombée, qui crache ses feuilles en crépitant avec un bruit d'enfer. Le type sort des feuilles, les trie, les range, les classe, tandis qu'une femme au brushing sévère tape des lettres d'une seule main parce que l'autre est occupée à présenter le bout d'une cigarette à sa bouche, qui machouille le filtre quand il se présente à ses lèvres, avant d'aspirer fermement la fumée. Il y a une odeur de tabac, de café froid et d'électricité. Patrice repère sa valise, dans un coin. Au moment où il se penche pour l'attraper, une personne dont il ne voit pas le visage, mais dont il perçoit la voix évasive, lente, celle d'une femme, sans doute vieille, s'adresse à eux pour dire que c'est Gérard Rambert qui s'occupe de Patrice Maisse. Qu'il le rejoigne avec sa valise en salle de réunion, Gérard l'amènera ensuite au dortoir avec les autres.

Gérard Rambert. Patrice le devine même de dos. Parce que son corps est long et élastique. Parce qu'il est le seul dans le centre à être habillé avec élégance, une chemise Renoma ouverte sur le torse, une paire de Ray-Ban noires qu'il ne quitte que pour dormir. Ses cheveux châtain clair sont plaqués en arrière. Il fume une cigarette en regardant au loin, la mer, par la fenêtre. Patrice perçoit son reflet ambré dans la fenêtre. Le visage est taillé d'un trait sûr et décidé. La peau coulée dans une cire claire, parfaite. Nez d'aigle, la bouche est généreuse et souple. Patrice s'avance à sa hauteur et sans bouger, sans le regarder, Gérard lui parle ainsi :

« Oui on est avec cette FAUNE. Tous les soirs, il y a réunion de tout le monde... qu'est-ce qu'on a fait pendant la journée... qui s'est bien comporté, qui s'est mal comporté, puis il y a les confessions en public... ET PUIS, ET PUIS, ET PUIS. Tu rentres dans un univers... étrange. Suis-moi »

Patrice suit Gérard Rambert, qui ne le regarde pas, il a simplement allumé une nouvelle cigarette avec le cul de la précédente. Ils sortent à l'extérieur du manoir. Gérard marche très vite. La nuit est tombée, dehors les fenêtres sont éclairées, ici et là, des groupes de fumeurs, et le bruit des graviers sous les pas.

« Là tu as des bâtiments qui devaient être d'anciennes écuries, elles ont été transformées pour l'aile centrale en réfectoire. Les ailes sur le côté ce sont des chambres doubles. Parce qu'il faut savoir que les gens ont droit de se mettre en couple – en demandant aux cadres, d'abord. Les couples se forment et informent. Puis les cadres donnent, ou non, l'autorisation. Tu remarqueras que les cadres du centre sont tous d'anciens gros dealers, donc faut savoir que c'est pire que tout. Ce sont des dealers qui te surveillent : je ne sais pas si tu vois la perversité, ET l'ingénuité. C'est des kapos. Comme dans les camps. Ça te plaît la tisane d'orties ? »

Devant le bâtiment en préfabriqué, des jeunes gens parlent en espagnol, ils rigolent. Patrice suit Gérard à l'intérieur, il est là, avec sa valise, il sent qu'on le regarde, qu'il est le nouveau, que chaque sentiment qu'il est en train de vivre, la découverte des lieux, la première nuit, tout cela, chacun l'a déjà vécu avant lui. Patrice sera le nouveau, l'unique, jusqu'à l'arrivée du prochain, demain ou la semaine prochaine. Ce nouveau regardera le centre avec le même regard que Patrice aujourd'hui et Patrice, à son tour, fera partie de la masse des anciens.

Le dortoir est une grande pièce, avec deux rangées de lits superposés, alignés les uns à côté des autres. Au milieu des rangées, en travers, des lits simples forment une ligne. Patrice pense à l'armée, à la différence qu'ici, les lits ont été repeints de toutes les couleurs. Ils ont des couvertures grises, traversées d'une grosse rayure bleu marine. Patrice est frappé par l'ordre qui règne, les lits faits au rasoir. Patrice n'a jamais fait son lit de sa vie, pas même enfant. Ses parents n'en avaient rien à foutre. La plupart des lits sont encore vides, il est tôt. Parsemés çà et là, quelques jeunes gens lisent, allongés, Patrice reconnaît la couverture du *Seigneur des anneaux*, les cercles sur fond mauve, avec le petit

bonhomme les bras levés, dans le coin et TOL-
KIEN écrit en majuscules, dans un orange éclatant.
D'autres personnes discutent à voix basse. Gérard,
lui, ne semble pas se rendre compte qu'il parle fort,
comme s'il était seul dans ce dortoir.

« Quand je suis arrivé on m'a proposé une
chambre dans le manoir. Tu sais tout s'organise
en caste. Très vite, ah oui. Mais j'ai refusé, j'ai dit
non, moi je reste avec les gens. Le chef du centre
m'a dit : "Dormir à 57..." – on est 57 à dormir
dans ce préfabriqué – "Dormir à 57 ça réveille !" »

Le réveil est violent, en effet. Peu après minuit,
une lampe torche dont le cercle de lumière se
balade entre les lits. Comme une ronde de nuit,
entre les cellules d'une porte de prison. Et puis
ça se termine. Patrice referme les yeux. Debout à
6 h 30, l'impression de s'être endormi seulement
deux heures auparavant. Se lever, les couvertures
qui grattent la peau, les draps sont pour la plupart des sacs à viande de la SNCF (avec le petit
logo, rectangulaire et bleu, imprimé sur toute la surface du tissu). Patrice doit s'habituer aux bruits,
aux chuchotements, aux pages des livres tournées,
éclairées seulement d'une petite lampe de poche,
aux ronflements, aux rires, aux gorges qui raclent.
Les lumières du dortoir s'allument, impossible d'y
échapper, la tête de Gérard apparaît sens dessus
dessous, depuis le lit superposé du haut. Une apparition irréelle. Sans même dire bonjour à Patrice, il

lui explique qu'il a rêvé du Canada, il conduisait une voiture – il n'est jamais allé au Canada de sa vie – pour se rendre à Las Vegas. Puis il eut cette vision de nouveau, la même que lorsqu'il perdit connaissance pendant son sevrage, celle d'un pommier avec des walkmans qui pendent, à la place des pommes.

Patrice a mal au cœur, l'estomac est lourd. Toujours ce problème, il n'a pas chié depuis cinq jours maintenant. De toute façon, il ne sait même pas où sont les toilettes. Quand il met un pied par terre, Patrice sent la douleur dans les bras et les cuisses, des courbatures partout. Tout autour de lui, quelques-uns s'agitent à s'habiller – la plupart n'ont pas besoin, ils se sont endormis avec leurs vêtements de la veille, il suffit juste de mettre ses chaussures –, à faire son lit le mieux possible, à ranger quelques affaires. Une fille coiffe ses longs cheveux à coups de brosse énervés, d'autres marchent en chaussettes, une trousse de toilette sous le bras, en direction des douches.

Patrice fouille dans sa valise, avec la sensation que quelqu'un l'a déjà fait avant lui. Il ne trouve plus ses sous-vêtements. Pas le temps de se laver, explique Gérard, il faut filer au petit déjeuner, pour ne pas avoir le ventre vide avant la journée de travail. Dans le réfectoire, des brocs cylindriques en inox sont posés sur les tables, installés à équidistance, tous les trente centimètres environ.

Dans chaque bol on trouve deux gâteaux espagnols avec leur emballage rouge – Patrice a remarqué qu'il y en a partout dans le centre, tout le monde mange ces biscuits secs au goût fade. Il les trempe dans sa chicorée – goût vague de lait tourné – et soudain la cloche sonne, tout le monde se lève pour sortir dans la cour.

Patrice est envoyé sur le chantier des bungalows. Lucien a décidé de construire cinq bungalows supplémentaires pour que les familles puissent rendre visite aux pensionnaires. La petite Espagnole de la veille a disparu, mais deux grosses filles, plutôt marrantes, ont une conversation à propos du verger – on peut l'apercevoir depuis les fenêtres du manoir, quand il fait jour et qu'on regarde en direction du port du Havre, juste avant la forêt. Elles parlent en rigolant de choux de Bruxelles, de fumier, de petits pois et de la taille des pommiers.

Les bungalows ne sont qu'à l'état d'os pour le moment. Des carcasses. Certains ont déjà des murs de planches, d'autres la structure du toit, les bois ne sont vraisemblablement pas les mêmes, ça gondole. Seuls deux planchers sur cinq ont été posés, selon une logique qui n'apparaît pas immédiatement à Patrice, qui regarde ce chantier en se demandant ce qu'il va bien pouvoir y faire. Fredo lui montre l'endroit où il faut prendre les planches, les amener une par une, vérifier l'ensemble, la rectitude des lignes, les angles, comment il faut poncer, reprendre, pour éviter les fuites dans les murs. Les heures passent, les yeux fixés sur les mains qui travaillent. Au loin, les discussions des gars et des filles, ce qu'on en comprend, dans le mélange des langues. La journée passe vite, le déjeuner a un goût étrange, les légumes sont difficilement reconnaissables, une ratatouille acide. Et toujours les biscuits espagnols.

Au dîner du soir, Patrice s'installe en face de Gérard. Il se demande comment il ferait sans lui. Mais Gérard est énervé, il a dû faire de la plomberie. Passer sous des planchers de soixante centimètres, impossible de se mettre à genoux, il faut s'allonger, être à plat ventre, tous ces tuyaux, ça l'emmerde. Il en a marre, il va dire au sosie d'Howard Marks qu'il veut arrêter la plomberie. Fini les conneries. L'homme assis à côté de Gérard, un Espagnol qui ne porte qu'un T-shirt malgré le froid dans le réfectoire – un T-shirt gris délavé sur lequel il a dessiné le A encerclé des anarchistes – dit à Gérard, en français : « Bah, tu vas t'enfuir ? » puis il prononce des phrases en espagnol qui font rire d'autres types en face de lui.

Dans son dos, Patrice ne sent pas tout de suite l'agitation inhabituelle. C'est d'abord une sensation lointaine. Les anciens, eux, ont tendu l'oreille : au fond du réfectoire, il y en a un qui parle un peu trop fort. Ses gestes deviennent convulsifs, puis désordonnés, la main frappe la table, puis la main devient un poing, qui prend la direction de la tempe, de la tempe au front, du front à la table. Et ça recommence. On sort les bâtons de bois, au cas où. L'agité se lève, brusquement, les yeux dans le vide, puis viennent des petits cris, des couinements que l'on entend de plus en plus distinctement à mesure que le silence s'installe dans le réfectoire. Raclement des pieds de chaises sur le sol : les uns et les autres se retournent, pour voir d'où ça vient. Qui est en train de dérailler. Le type griffe la table, se met à crier. Merde. Il crie de plus en plus fort. Merde. Merde. Merde. Encore plus fort. Il crie qu'il a mal. Qu'il n'y arrivera jamais. Qu'il a trop envie de se fixer. Il se met à crier maman aussi. Et ça en fait rire quelques-uns dans le réfectoire silencieux, tous sont retournés, au spectacle. Sauf Gérard et quelques pêcheurs basques, qui continuent de manger et se servir, comme si de rien n'était. Fracas d'une chaise qui tombe au sol. Déplacement des corps. Le type se lève, il se précipite droit devant lui, se jette, la tête heurte le mur, puis il s'écroule au sol, assommé, le nez qui saigne, il ne bouge plus. Il est calmé. Comme rassasié.

Le repas reprend d'abord silencieusement. Puis on perçoit des chuchotements. Les chuchotements deviennent des conversations, le brouhaha s'installe, et tout redevient à peu près comme avant, avec cette tension dans l'air, quelque chose de palpable, que les cadres vont devoir effacer. Redonner du courage, tenir les troupes à bout de bras, ne pas laisser la brèche se fendre. Eviter toute nouvelle crise. Le mois dernier, deux filles ont été malades, forte dysenterie, avec des diarrhées violentes, teintées de sang. Pour manifester leur colère, des types ont jeté leurs couverts dans les chiottes à la turque. Tout s'est bouché, l'odeur de merde s'est répandue dans le centre. Au bout de quelques jours, les cadres ont décidé de faire venir un camion-citerne pour pomper la fosse sceptique. Mais le lendemain, d'autres pensionnaires ont eu des chiasses monumentales. De nouveau les couverts. De nouveau les chiottes bouchées. Mais les cadres, qui ont leurs propres toilettes dans le centre, avec une serrure, n'ont pas voulu re-dépenser les cinq cent francs pour le camion-citerne. Un matin, l'odeur était si épouvantable, que Gérard s'est dévoué pour déboucher la merde. Il a demandé qu'on lui achète des cuissardes de pêcheur et il a enlevé tous les couteaux et les fourchettes. Le soir, au réfectoire, il a dit : « Ecoutez les mecs, si vous êtes pas contents, cassez des trucs, écrivez sur les murs, mais arrêtez de boucher les chiottes. Ça va bien, comme ça ! »

Grâce à Gérard, le centre était redevenu plus calme – mais le sosie d'Howard Marks est sur le qui-vive. Tout peut s'enflammer de nouveau. Pour un rien. Les crises sont souvent déclenchées par la présence de produits interdits dans les lieux. Cela fait un moment que le problème traîne dans le centre, il faut à présent l'éradiquer. Le sosie d'Howard Marks demande si quelqu'un a été témoin de quelque chose. Une fille blonde – presque blanche – des cheveux frisés d'Africaine, deux grands yeux clairs extraordinairement écartés l'un de l'autre – proteste. Elle n'est pas d'accord : la liberté de chacun doit être protégée. Elle n'est pas une collabo, comme tous les Français pendant la guerre, elle ne dénoncera pas ses camarades. Le sosie d'Howard Marks rappelle qu'il ne s'agit pas de « dénoncer ». Mais laisser dire ou laisser faire, c'est mettre en danger tout le groupe. Donc si quelqu'un a vu des drogues, le temps est venu d'en parler ouvertement devant tout le monde. Howard Marks renvoie chacun à sa conscience. La vérité doit se dire haut et fort, devant tout le monde. La vérité doit être éclatante, et non se nourrir du secret. Le secret s'est nourri des siècles de société bourgeoise. Comme le dit Lucien, la liberté présentée comme un a priori est ici une idiotie nuisible. *Taire ce que l'on sait par une confidence ou thérapie est une faiblesse et une lâcheté.* Lucien, d'ailleurs, lui a envoyé un Télex, pour avoir des nouvelles du manoir. Lucien demande si Greta a réussi à planter ses salades, si Patou avance le chantier des bungalows avec l'ardeur qui lui est habituelle, si César a moins mal aux genoux, si Carola a enfin reçu le colis venant d'Espagne qu'elle attendait de ses parents, si Carmen est toujours la grande championne des ventes de livres sur les marchés. Tous sont dans le cœur de Lucien, au même titre que ses enfants, car ils forment une grande famille. Et Lucien, doté de cette passion qui l'anime, a pres-

senti les événements. Il finit son Télex ainsi : « *Moi,
non averti à temps, je n'ai pu empêcher quelques
jeunes de fuguer ou de boire. Tous ceux-là ont disparu dans le grand creuset des morts, des sursitaires
de la drogue. Parler de statut ou se taire quand il
s'agit de sauver des vies humaines est un acte peu
reluisant.* »

Il y a un long silence. Et puis la jeune femme à
tête de poire lève la main. Sa voix tremble d'une
excitation mêlée de crainte : elle a vu quelque chose.
Mais elle n'ose pas le dire. Ne sait pas comment
faire. Et pourtant elle comprend les paroles de
Lucien, elle sait qu'il a raison. Soudain Patrice se
souvient du visage de la fille : elle était là, le premier matin, dans la maison du sevrage.

Parents alcooliques, Laurette naît avec sa première dépendance. Première cigarette à huit ans,
premier joint à dix et amphétamines à douze ans.
Toxicomane depuis l'âge de quatorze ans, elle tente
de se suicider plusieurs fois, tombe enceinte à dix-
huit ans, accouche d'un bébé mort-né. Décide alors
de s'en sortir. Hôpitaux, instituts, elle rechute systématiquement. Un jour, par hasard dans la rue,
elle croise une ancienne tox qui s'est sevrée au
Patriarche. Le lendemain elle était là. C'était il y
a six semaines, mais cela lui semble toute une vie
déjà. Le groupe l'encourage à parler. Qu'elle ne
se culpabilise pas. Il faut dire ce qu'elle a vu, si
elle a été témoin de quelque chose. Mais Laurette

n'a pas le temps de commencer sa phrase, parce qu'un type aux cheveux roux, emmêlés comme des nids d'oiseaux, se met à hurler « salope ». Le gars à côté de lui – celui qui porte un T-shirt anarchiste – n'a pas l'air d'apprécier qu'on traite Laurette de salope. Soudain tout le monde s'écarte dans un demi-cercle, et les deux hommes se battent, à coups de poing dans la figure. Personne ne cherche à les en empêcher. Comme des joueurs devant un combat de coqs. Jalil accuse le roux de trafiquer des herbes réservées à l'herboristerie de Lucien. Et le roux se débat, il hurle que c'est pas vrai, qu'ils sont tous des connards, qu'il encule tout le monde, à sec. Deux pêcheurs basques l'immobilisent et le sosie d'Howard Marks, encore bien baraqué malgré son âge, lui donne des coups de poing dans le ventre. Il va lui apprendre ce qu'on fait aux magouilleurs. S'il a toujours voulu baiser la gueule de tout le monde quand il était dehors, ici c'est différent, et pour lui baiser la gueule, à lui, le sosie d'Howard Marks, il faut se lever de bonne heure. Avec sa femme, il a été pendant presque dix ans le plus gros dealer de Saint-Tropez, alors il sait de quoi il parle. On peut pas mentir ici. On peut pas essayer d'échapper à la nasse. Et le roux pleure parce qu'il a mal à la bouche, il crache un mélange de bave et de sang. Alors il se tait. Il arrête d'enculer tout le monde. Il accuse les coups. Il a l'air d'avoir vraiment mal ; et la fille à la tête de poire pleure dans les bras d'une autre fille, qui elle aussi est envahie d'un sanglot – au bord de l'hystérie générale. Sauf Gérard, qui fume toujours des clopes en regardant par la fenêtre, comme si de rien n'était.

Howard Marks fait revenir le calme. Il demande à un ancien de témoigner, pour les nouveaux. Il sait qu'avec Dédé au grand cœur, le chef des cuisines, il tire le bon numéro. Un visage rond et rouge, une salopette en jean, Dédé raconte que ça fait bientôt sept ans qu'il est au Patriarche. Et que ces sept années sont les plus belles de sa vie. Sans Lucien, sans la vie en communauté, sans tous les amis qu'il a découverts à l'association, il serait sans doute mort, à l'heure qu'il est, au fond d'un caniveau. Et ceux qui critiquent n'ont rien compris, et ne méritent pas d'être là, ne méritent pas l'aide ni l'amour de Lucien. Ce qui compte avant tout, c'est que les jeunes réussissent à ne plus prendre de drogue grâce au Patriarche. Partout ailleurs, dans les instituts publics, les jeunes sont abandonnés. Il n'y a que Lucien qui ait le courage d'affronter ce problème, parce que Lucien a été un grand résistant, décoré après la guerre pour ses exploits, alors personne ne va essayer de le traiter de collabo. Il a les mains pures, contrairement aux autres. C'est pour ça qu'il a pu mettre en place un système où la transparence règne entre les êtres. « Dire que Lucien m'a sauvé la vie, c'est trop peu. Parce que moi, je ne suis rien. Mais il nous a tous sauvé la vie. Il nous apprend à vivre, au lieu de survivre. Et que les saintes nitouches retournent au couvent des petits oiseaux. Ce n'est pas en discutant avec un ancien toxico qu'on réussit à le sortir de la drogue. C'est en l'arrachant à lui-même, à ses mauvaises habitudes, au sens propre comme au sens figuré. Un ex-tox a besoin qu'on lui rentre dedans. »

Patrice est soulagé lorsque arrive l'heure de se coucher. Parce qu'il sait qu'il va retrouver Gérard au-dessus de lui. Il pense qu'il ne survivrait pas sans lui, sans son regard, il deviendrait fou. Allongé, Patrice regarde le fond du lit superposé à quelques centimètres de lui, comme s'il dormait dans un sarcophage. Enterré vivant. Matilda et Nick l'ont abandonné ici, dans les limbes d'un monde parallèle, oublié de tous, avec un peuple de zombies. La nuit dernière, il n'a pas dormi, à cause du bruit, mais Gérard lui a trouvé des boules Quiès. Dans le centre, tout le monde sait qu'on peut demander à Gérard : des cigarettes, des chewing-gums, des mouchoirs. Les gens viennent le voir, parce qu'il est toujours seul, toujours propre, toujours un paquet de Rothmans dans la poche. Il n'est pas cadre, mais il parle à égalité avec les cadres, il n'a pas peur d'eux. Il est respecté par tous. Patrice aime l'écouter parler, au-dessus de lui, sur le lit, s'adressant à qui veut l'entendre, il pourrait l'écouter pendant des heures.

« Lucien a un deal, lui explique Gérard. Il récupère, pour un franc symbolique, des vieux bâtiments abandonnés par les mairies. Et il nous fait faire tous les travaux, à l'œil. Par des mecs qui non seulement payent pour être là, mais qui en plus lui rapportent des subventions de l'Etat. Ensuite, il fout le fric dans des paradis fiscaux. Et personne ne veut le croire ! Lucien c'est un SAINT ! C'est le bon Dieu. Et si l'Etat français le fait chier, tu sais ce qu'il dit à l'Etat ? "Eh bien je vais vous mettre 10 000 toxicos dans la rue. Dans l'heure. On va voir ce que vous allez faire." Donc il peut tout se permettre. Mais personne ne s'en rend compte, je suis le seul à réaliser ce qui est en train de se passer. »

Dans le dortoir, les chuintements fusent pour signifier la désapprobation. Fredo dit qu'ils ne travaillent pas gratuitement : Lucien a créé une caisse de retraite et de cotisation spécialement pour eux, pour quand ils sortiront à l'extérieur. Alors Gérard se marre et se tait, parce qu'il sait qu'il a raison. Dans trente ans, il sera peut-être le seul survivant de ce réfectoire, alors ils peuvent tous croire ce qu'ils veulent, ils l'emporteront bien vite dans leur tombe.

Dans la nuit, de nouveau, vers deux heures du matin. Les lampes torches. La ronde de nuit. Le lendemain, lever 6 h 30. Patrice n'a presque pas dormi. Il ne veut pas quitter le lit. Ce n'est pas possible, il n'y arrivera pas. Et les courbatures qui font de plus en plus mal. Tous les pensionnaires sont sortis du dortoir sauf lui, allongé dans la chaleur de ses membres sous les draps. Les paupières sont bleues. Les yeux gonflés. Le silence dans le dortoir, enfin, maintenant qu'il n'y a plus personne, Patrice va s'endormir et c'est comme s'il n'avait jamais dormi de sa vie, comme si c'était la première fois.

La grosse femme qui ressemble à un homme – elle s'appelle Béatrice – avec ses lunettes qui pendent sur ses seins, vient le chercher avec un biscuit espagnol et un bol fumant. Le petit déjeuner est terminé. La cloche vient de sonner. Il faut que Patrice se lève pour aller travailler. Le troisième jour de travail est une très rude épreuve. Peut-être la plus difficile. Elle se souvient, elle avait tenté de se pendre avec ses draps, a cause de la douleur. Heureusement, Lucien l'avait retrouvée et prise dans ses bras. C'était il y a huit ans. Il faut surmonter cette journée, tout ira mieux maintenant. Le plus dur est derrière lui. Et puis avec ce qui s'était passé la veille. C'est éprouvant. Béatrice a apporté une décoction de Lucien, quelque chose qui réveille et purge en même temps, fait vibrer les énergies et remet tout en place.

La journée est si douloureuse pour Patrice. Il ne parvient pas à se sortir de son abrutissement. Rien n'y fait. Ni l'air frais. Ni le déjeuner. Il demande aux gars de son groupe – on l'a remis à la réfection des Bungalows – s'il peut faire une sieste quelque part, parce qu'il ne tient pas debout, partir en cachette rejoindre le dortoir pour dormir une heure. Mais les autres refusent : il ne faut pas qu'il dorme. Il ne faut pas qu'il s'isole. Le troisième jour est particulièrement dur dans le déroulement du sevrage, il doit tenir bon, tenir tête à la souffrance, ils sont tous passés par là, ils s'en sont tous sortis. Il faut travailler en dormant debout peut-être, mais travailler. Avancer. Ne pas se laisser surprendre par la douleur. Et une fille à la voix grêle lui parle de psychodrame, de thérapie familiale, d'Erickson, de méditation transcendantale, de sophrologie, de sexe tantrique, d'expression corporelle, d'art dramatique – elle dit « l'art dra » – et Patrice la regarde sans comprendre de quoi il s'agit. Au déjeuner toujours cette ratatouille bizarre et acide, avec une forte odeur de terre. Face à lui, un type lui raconte que sa petite amie n'a pas tenu le choc au Patriarche. Elle est entrée en prison aujourd'hui. Parce qu'au bout d'un mois de centre, au lieu de faire une vente de livres au Havre, elle a fait un casse dans une pharmacie.

Dans l'après-midi, l'OVNI vient les chercher. Des camions sont arrivés de Belgique, il faut les décharger. Tous les pensionnaires sur place doivent se rendre sur-le-champ à la réception des marchandises. Chaque fois c'est la surprise. Ce peut être des dizaines de lavabos ébréchés, récupérés dans une usine à l'est de la France, des sacs de sable, des meubles à retaper, de la ferraille en provenance de casses, des poissons en camion frigo, qui viennent de Saint-Malo et qu'il faut redistribuer dans d'autres camions qui partiront aussitôt dans les centres de toute la France, des cœurs de canards sanguinolents, des blocs de béton, du gravier et des hourdis, des centaines de yaourts périmés. Tout ce qui se jette, tout ce qui se brûle, tout ce qui ne sert plus, est alors récupéré, réparé, transformé, pour une nouvelle vie.

Les camions sont remplis de parpaings aujourd'hui. Comme souvent. Les rectangles gris, en béton, quadrillés par des creux, sont entassés sur des palettes en bois pourries. Il faut faire une chaîne humaine, pour les descendre des semi-remorques. Les angles des briques rougissent les mains, puis finissent par les blesser. Gérard sort de sa poche une paire de gants, il en tend un à Patrice et lui dit : tu vois, ça tombe bien que tu sois gaucher. Il faut presque deux bonnes heures pour décharger. Ensuite, chacun retourne à son chantier, avant l'heure du dîner.

Patrice cherche Gérard dans le réfectoire. Il est inquiet de ne pas le voir. Il voudrait boire un peu de vin, pour décontracter les muscles, détendre la mâchoire, mais il n'y a que des brocs d'eau sur les tables. Il voudrait aussi manger un peu de viande, pour changer des légumes au goût étrange et des gratins de pâtes, noyés dans un fromage bon marché. Au dessert, Gérard débarque dans le réfectoire les cheveux mouillés, plaqués en arrière, comme quelqu'un qui sort de sa douche. Et explique à Patrice :

« Je m'occupais d'enlever le lisier des cochons, mais comme j'étais vraiment très fatigué, au lieu de prendre le chemin pour remonter la brouette, j'ai décidé de couper en remontant en ligne droite. Et là je suis tombé dedans. C'est-à-dire que j'ai été immergé dans la merde. Et ça je pense pas qu'il y ait beaucoup de monde qui ait eu l'occasion de prendre des bains de merde. »

A la réunion du soir, le groupe va jouer un psychodrame, afin de régler un problème qui a été soulevé dans la journée. Ce matin à l'appel de la cloche, Johanna et Fabien ne se sont pas levés. Ils n'ont rejoint leurs groupes que vers neuf heures. Et cela a entraîné des conflits qui ne doivent pas s'installer, à cause des mauvaises vibrations. Johanna et Fabien vont jouer leur propre rôle. Le rôle du sosie d'Howard Marks sera joué par Martine, une blonde obèse, les cuisses qui frottent quand elle marche, un double menton, une grosse paire de fesses à la place du visage. Mais elle a une voix douce et sucrée. Elle explique donc, que tous les matins, quand elle sonne la cloche, Johanna et Fabien sont systématiquement absents. Ils ne se sont pas réveillés – ce sont les seuls qui ne se lèvent pas en même temps que les autres, surtout qu'ils ont une chambre individuelle, parce qu'ils sont en couple. Fabien rétorque qu'il n'est pas ici pour se faire traiter comme un petit garçon qui doit se rendre à l'école, il trouve que c'est régressif, qu'il tient à sa liberté, et sa liberté est de dormir le matin aussi longtemps qu'il le souhaite. Puis une autre fille prend la parole ; elle est OVNI ce jour-là, et Fabien et Johanna sont chargés de mettre la table du déjeuner et d'éplucher les légumes pour la journée. Sauf qu'ils arrivent en retard, alors les autres membres du groupe ont deux fois plus de travail.

Gérard fait des signes avec les yeux à Patrice. Il les ouvre en grand, remontant les sourcils, relève ses mains près de sa tête, avant de prendre sa cigarette pourtant éteinte ; ça fait rire Patrice, qui comprend bien que Gérard trouve tout ça complètement idiot. Alors Gérard prend la parole, il interrompt le psychodrame, au moment où la très grosse fille était en train de revenir sur des horreurs de son enfance, parce que lui aussi, il a des choses à dire.

« Quoi ? J'ai pas le droit de faire une digression ? J'ai pas le droit de "m'exprimer" moi aussi ? Merde alors ! Moi j'en ai rien à foutre du psychodrame, ni de machin et bidule qui sont pas contents d'éplucher des légumes. Ce sont des contestataires maladifs. Bon ben, laissons-les. Qu'ils n'épluchent pas les légumes comme tout le monde. »

Et les jours passent. Et les nuits. Patrice demande à Gérard pourquoi systématiquement, il y a ces rondes avec les lampes torches. Gérard explique : si quelqu'un manque, si un lit est vide, on sonne la cloche. Alors, il y a toujours une douzaine de personnes, hommes ou femmes, qui se rhabillent pour partir à sa recherche dans la nuit. Il y a des êtres humains qui aiment la chasse à l'homme. Qui sont heureux quand la cloche sonne. Tu verras, lui dit Gérard. Tu verras.

Les jours passent. Et les soirées en réunion. Sauf le dimanche soir. Pas de dîner ce soir-là, seulement un bol de café au lait et un biscuit espagnol friable, dans son sachet en plastique. Après c'est musique, guitare et chant autour du feu de cheminée. Il y en a qui jouent au backgammon. D'autres aux dés. Une fille a proposé un concert de flûte traversière mais Gérard l'en a empêchée. A la place, il lui a parlé de Charles Pasqua.

« Moi je veux parler de Pasqua. Oui. Le fait de retarder la vente libre des seringues, tu imagines ? Tu dis à un junk que la piqûre est infectée – qu'est-ce qu'il en a à foutre ? Miaou miaou. Il a beaucoup de sang sur les mains cet homme-là. Beaucoup. »

Tous les dimanches matin, Baptiste Morandi, un ancien chef de rang de la Tour d'Argent, sert à Gérard le café en smoking. Pas pour faire plaisir à Gérard, non. Pour lui. Et c'est Gérard qu'il a choisi. Baptiste arrive dans le réfectoire avec son costume noir à col gris, fermé par de gros bou-

282

tons en métal argenté. Il porte un plateau d'une seule main, recouvert d'une épaisse serviette blanche impeccable. Lucien l'a autorisé à se servir, exceptionnellement, de son percolateur qui se trouve dans les cuisines du manoir. L'ancien chef de rang vient déposer le plateau sur le lit de Gérard. Il y a disposé en silence une tasse à café de la Tour d'Argent qu'il a volée, un verre à vin rempli d'eau du robinet et un biscuit espagnol dans une petite assiette. Ça le maintient en exercice, dit-il.

Ce dimanche-là, le sosie d'Howard Marks annonce que Lucien va venir passer quelques jours au centre. Il faut préparer ses appartements. Que tout soit confortable et prêt pour son arrivée. Patrice sent naître autour de lui un mélange d'excitation enfantine et de fébrilité – une tension dans l'atmosphère qui augmentera de jour en jour.

Le lendemain matin, Patrice et Gérard sont désignés pour la « P.I. » : « Prospection et Information ». Il s'agit de vendre les livres de Lucien et les revues, ce qui génère beaucoup de liquidités. Ils sont avec Kissou, une gamine, une Espagnole de la rue qui a trop sniffé de trichlorométhane, ça lui a fêlé le cerveau. Une tête de mangouste, un visage minuscule, qui accentue la longueur de son nez, une peau marron constellée de grains de beauté, de cheveux noirs qui tombent sur son visage. Kissou a eu une hépatite. Lucien a envoyé un Télex pour prescrire un traitement. Qu'elle ne prenne aucun médicament, mais qu'elle boive l'eau des pâtes, mange essentiellement du riz, et sirote des tisanes orange qui viennent de son herboristerie. C'est sa première sortie depuis sa convalescence.

Patrice a remarqué que les petits Espagnols sont les plus forts, dans le centre, au niveau de l'organisation. Ils sont très abîmés, mais il aime bien être avec eux. Leur façon de trouver des astuces pour s'en sortir. Leur façon de rire et d'être drôles. Leur façon de se taper dans les mains, adossés en ligne contre le mur, comme dans *West Side Story*. C'est eux qui fouillent dans les valises des nouveaux arrivants, pour voler leurs sous-vêtements propres. Un jour Patrice a vu Pepe avec un de ses slips. Pepe a commencé à se piquer à l'âge de sept ans. Chargé par ses parents de transporter de l'héroïne à Barcelone, il les avait vus faire, tellement de fois, qu'il avait voulu reproduire la même chose. C'était simple et il savait où étaient les ustensiles. Pepe ressemble à Mooglie avec sa peau sombre et ses muscles dessinés. Courant partout, excité, incapable de se concentrer pour faire un dessin ou apprendre à lire. Un jour, Gérard s'est occupé de lui dans un atelier « jardinage ». Pendant que les autres plantaient les herbes de Lucien, Gérard a construit pour Pepe une jardinière en briques ; avec du ciment et de la terre dedans. Quand les fleurs ont commencé à pousser, Pepe s'est mis à pleurer, de voir ce qu'il avait réussi à faire de ses mains.

Dans la Peugeot 604 bleu marine, aux sièges en cuir défoncés, Patrice, Gérard et Kissou ont entassé les livres de Lucien – la réédition de *Pour les drogués : l'espoir*, et deux nouveaux livres, *Drogues : symptomatologie, réflexions, cures* ainsi que son recueil de poèmes *Prière d'elle*. Il y a aussi les numéros d'*Antitox*, le journal de l'association. Sur la couverture, une chaussure maladroitement dessinée écrase une seringue.

On les voit dans toutes les grandes villes de France. On les voit devant les bureaux de poste, avec leur table dépliante. On les voit aux feux rouges, et l'été sur les plages. Chaque jour, ils sont entre trois cents et mille, dans tout le pays, à vendre des livres, des revues, des dépliants. Tous des anciens toxicomanes, ils font de la retape, demandant quelques francs, pour venir en aide aux drogués. Tous les jours de l'année. Entre trois cents et milles colporteurs. Cela représente, au bout du compte, peut-être entre 20 et 40 millions de francs. A l'année et en liquide. Personne ne sait où va l'argent. Quelques cadres savent seulement qu'ils portent des mallettes en Suisse. Au passage, ils ponctionnent leur part, c'est de bonne guerre. Lucien ferme les yeux et compte les billets.

Gérard connaît bien la région. Il a passé tous les étés de son enfance à Deauville, avec ses parents. C'est lui qui conduit la voiture, toutes fenêtres ouvertes, il fume ses cigarettes en déchirant avec ses dents le bout du filtre. Se collent sur ses lèvres des bouts de tabac noirs, comme de petits brins d'herbe. Ils ont mis l'autoradio, et Gérard monte le son lorsque passe la chanson préférée de Kissou :

*« C'est une petite chatte gourmande*
*Qui a de grands yeux en amande*
*Elle lappe le lait de sa maman*
*Dans de grands biberons blancs.*

*Bébé chatte je te connais*
*Comme si je t'avais fait*
*Tu as un joli nez*
*Et la moue de B.B. »*

Et Gérard éclate de rire, dans un train d'enfer. Kissou se marre aussi, même si elle ne comprend pas toutes les paroles. Patrice, lui, a l'impression d'un grand départ en vacances, à la fin de l'année. Il n'a pas vu le monde extérieur depuis trois semaines. Il n'a pas été clean depuis cinq ans. Il regarde effaré ce qui se passe à l'extérieur. Les voitures, les gens dans les voitures, les arbres, les petits villages, les panneaux de signalisation, les chiens, les couleurs lui semblent extraordinairement fades, comme si on s'était trompé de filtre, il se met à avoir peur. Peur de la rue, de la tentation. Il ne sait même pas quel jour on est. Il serait si simple d'entrer dans un bistrot et de commander à boire. Il suffirait d'avoir de l'argent, on le servirait sans rien lui demander d'autre. Il a peur. Heureusement, Gérard est avec lui, alors rien, pense-t-il, ne peut lui arriver.

« J'ai fait tous les villages, toutes les petites villes, tous les bourgs, toutes les grandes villes, Le Havre, Pont-Audemer, Bernay, Deauville, Trouville... faut me voir sur les planches, moi je suis un enfant de Deauville. J'ai rencontré des amis de mes parents, qui avaient honte. Je suis allé voir les anciens copains qui me regardaient... sauf un. Charles David, le seul, a eu un geste incroyable. Il m'a vu, il a pris tout ce qu'il avait dans sa poche et il me l'a donné. Sans compter. Des milliers et des milliers et des milliers de francs. J'en ai assez de vendre des livres et de partir tôt le matin dans des bagnoles pourries qui tombent sans arrêt en panne, fait chier, bon. »

Gérard a réfléchi à quelque chose de beaucoup plus efficace pour vendre leur camelote. Il explique la combine à Patrice et Kissou.

Ça va marcher, à tous les coups.

Gérard repère une pharmacie dans la petite galerie marchande de Boncray-sur-mer. Il rentre le premier. Sur la porte, le carillon en flûtes de bambou sonne son arrivée. Lorsque arrive son tour, Gérard pose un billet sur le comptoir. Un gros billet. Il commence par tousser, met la main devant la bouche, comme un acteur de théâtre quand il veut montrer qu'une situation est embarrassante, dans un geste forcé. Puis il demande au pharmacien cinq boîtes de Néo-codion. Le pharmacien comprend très bien ce qui se passe, il ne dit rien, regarde Gérard longuement, regarde le billet, il n'y a personne dans la pharmacie, il passe derrière le mur de médicaments. Pendant ce temps, Gérard fait signe à Patrice et Kissou d'entrer et de trainer, devant les brosses à dents. Le pharmacien revient avec ses cinq boîtes vertes, traversées d'une bande blanche, sur lequel le mot NÉO-CODION est écrit en lettres capitales. A ce moment-là, les autres se montrent, avec leurs livres et leurs revues sous le bras, leur dégaine sale de pauvres hères. Alors Gérard insulte le pharmacien. C'est un dealer, il fournit des substituts d'héroïne sans ordonnance. Un dealer légal, un fou dangereux. Gérard va leur faire de la publicité, à tous ces pharmaciens prêts à couler d'anciens tox qui essayent coûte que coûte de s'en sortir en faisant de la prévention grâce à leurs livres. Le pharmacien est très gêné, et puis il a un peu peur aussi, de Gérard, avec ses yeux exorbités.

Patrice et Kissou déposent une dizaine de livres sur le comptoir, ainsi que des revues. A l'endroit exact où Gérard avait déposé son billet. A ce moment précis, le carillon se fait à nouveau entendre. Une mère avec deux enfants. Alors le pharmacien ouvre la caisse enregistreuse, en sort cinq billets de cent francs et les tend à Gérard, qui se met à louer très fort sa générosité. Si tous les pharmaciens avaient un si grand cœur ! Bonjour Madame, quels beaux enfants et quelle chance d'avoir dans sa ville un pharmacien si dévoué, soucieux des problèmes de la jeunesse d'aujourd'hui... Au revoir Monsieur, au revoir Madame. Avant de partir définitivement, sur le pas de la porte, Gérard informe la maman qu'un jeune sur quatre, entre douze et vingt-cinq ans, consomme de l'herbe ou des acides. Grâce à des pharmaciens exemplaires comme lui, ils réussiront à éviter l'accroissement des centaines de milliers de toxicos dans leurs rues. Oui, oui. La jeune maman serre son enfant contre elle, le pharmacien a le sourire contrit et Gérard sort dans un éclat de rire.

Voilà comment en dix minutes, Gérard, Patrice et Kissou ont vendu la moitié des livres. Il n'est que dix heures du matin, il suffit de recommencer dans le village d'à côté. Et la journée « Prospection et Information » sera terminée. Ils peuvent se balader, faire des tours en voiture, visiter la région, Gérard connaît les jolis coins où il n'y a jamais personne. C'est l'école buissonnière. En fumant des clopes au bord de l'eau, Gérard raconte son sevrage. Dans tous les centres du Patriarche, on ne parlait que de ça : il y en avait un qu'on ne réussissait pas à calmer. « *Il a fallu douze pêcheurs basques pour en venir à bout* », racontait-on, comme dans les contes pour enfant.

« J'ai fait une crise de paranoïa, je pensais être dans un camp appartenant à la mafia et qu'on allait faire des expériences de nouvelles drogues sur moi, avant de me sodomiser. Donc je marchais en rasant les murs, et je ne faisais plus confiance à personne. Je savais que je ne pouvais pas m'en sortir. Les heures passaient et partout où mes yeux se posaient, je voyais des images. Un peu comme lorsque, enfant, dans le métro, des formes apparaissaient sur les faïences blanches. Comme dans : *"Découvrez les dessins qui sont dans l'arbre."* Je veux dire, une foule de visions. Je vais t'expliquer, attends. Pendant quarante-huit heures, je vais voir des assiettes à soupe remplies de confiture à l'abricot voler dans tous les sens. Je vais baisser la tête pour les éviter. Des assiettes de confiture à l'abricot qui volent partout. Qui ne me visent pas, mais volent dans tous les sens. Dans tous les sens. »

A la réunion du soir, on félicite les vendeurs de la P.I. Jamais les ventes de livres n'ont aussi bien marché que dans le groupe de Gérard. Alors on les laisse partir le lendemain matin en Peugeot. Ils sont tranquilles. C'est comme des vacances ; sauf qu'on leur a flanqué Véronique cette fois-ci. Véronique a trente ans. Elle est très perturbée par l'arrivée de Lucien, elle l'attend avec impatience, elle lui a même écrit une lettre d'admiration. Elle veut la lire au groupe, dans la voiture, pour savoir ce qu'ils en pensent. Mais Gérard lui explique que ce n'est pas possible, il faut qu'elle résume. Dans cette lettre, explique Véronique, elle confie à Lucien qu'il est un phare qui la guide dans l'horreur de sa nuit. La première fois qu'elle l'a entendu parler, c'était chez Jacques Chancel, en 1974, pour « Radioscopie ». Véronique ne pensait pas un jour rencontrer un être aussi exceptionnel, œuvrant pour le bien de l'humanité tout entière. La lumière de son amour enveloppe chacun des êtres de l'association. Elle n'a jamais été aussi heureuse que depuis qu'elle a rencontré le Patriarche. C'est le résumé. Ajoute-t-elle pour combler le silence de la voiture. Alors Gérard met l'autoradio à fond, pour faire plaisir à Kissou. « *Elle sourit aux garçons de la bande, Et sait pleurer sur commande, C'est une petite chatte d'Iran, Qui aime faire cul-cul pan pan. Bébé chatte je te connais, Comme si je t'avais fait, Tu as un joli nez, Et la moue de B.B.* » Kissou se marre, et Patrice est heureux avec ces deux-là. Heureux pour la première fois depuis son arrivée au centre.

A cause de Véronique, Gérard ne veut pas trop faire la tournée des pharmacies. Il a peur qu'elle ne dénonce leur « méthode » de vente. Alors ils passent la journée devant les bureaux de poste de la région. Et les revues se vendent moins bien que la veille. A la réunion du soir, tout le monde charrie Véronique, qui porte la poisse pour la vente des livres.

La réunion est électrique, il faut faire le point sur l'organisation du lendemain. Lucien est attendu en fin de journée. On attend aussi des gens de l'extérieur, pour la fête. Les femmes, les maris, les parents, vont débarquer tout au long de l'après-midi. Il va falloir gérer l'arrivée des familles, faire des groupes de visites et des ateliers pour distraire les enfants. Jean-Philippe passe en revue tout ce qui reste à faire. Il y a un problème avec la mosaïque de la salle de bain de Lucien qui n'est pas terminée, ainsi que son buste en terre glaise qui, pour une raison mystérieuse, ne veut pas sécher. Dédé et son équipe ont confectionné une dizaine de gâteaux et Mona dirigé les chœurs qui ont mis en musique les poèmes de son dernier recueil. Elles répètent dans le réfectoire, à côté de Vicky qui tresse les couronnes de fleurs qu'apporteront les enfants, dès que Lucien descendra de sa voiture.

Patrice ne fait pas partie des équipes de préparation de la fête. Pour la journée du lendemain, il est nommé dans le groupe « Logistique et Alimentation » qui s'occupe d'aller au marché, pour la nourriture des pensionnaires. Avec Paulo, le véto, un pêcheur basque, et Katia, qui arrivera demain matin de Toulouse avec le camion.

Après la réunion, ceux qui n'ont pas terminé leurs œuvres ne vont pas se coucher. Il y a une permission spéciale ce soir, car il faut que tout soit en place pour la journée de demain. Patrice, lui, décide de s'allonger, mais il ne trouve pas son oreiller.

Dans la nuit, vers deux heures du matin, après la ronde de surveillance, Patrice distingue une forme dans l'obscurité. Quelque chose glisse en silence, comme un boa, au-dessus de lui. Au début, Patrice pense que c'est Gérard qui se lève. Puis il comprend qu'il s'agit de la jambe de Baptiste, de la Tour d'Argent – il dort au-dessus, le lit à côté de Gérard. Puis vient l'autre jambe, dans le silence du dortoir. Le cœur de Patrice se met à battre. Il comprend que Baptiste va s'échapper, alors il plonge son visage dans ses draps et suspend son souffle.

Quelques minutes plus tard, la cloche sonne. Les lumières du dortoir se rallument dans la nuit, avec la violence des lampes d'interrogatoire. Quelqu'un crie « *Baptiste s'est enfui !* ». Une dizaine de personnes se lèvent, répondant au signal d'alarme. Hommes, femmes, Français et Espagnols. Tous ceux, qui, au pied de leur lit, gardent chaque nuit leurs habits en boule. Pour ne pas perdre de temps. Fredo soulève la couverture du lit de Baptiste. Dessous, trois coussins forment un leurre, esquissant maladroitement la présence d'un corps, dans le but de tromper la ronde de nuit. Les chasseurs s'agitent dans tous les sens. Certains les suivent du regard, dans leurs pyjamas malgré le froid. Il faut les voir, au milieu de la nuit, quand la cloche a sonné. Il faut les voir, courir vers la forêt.

De son côté, le sosie d'Howard Marks a prévenu la gendarmerie. Sans perdre de temps, une équipe se rend à la gare, afin d'y cueillir le déserteur. Le signalement de Baptiste est lancé dans toute la région. Un relais s'organise, auprès des commerçants. Ils ont l'habitude, ils savent donner un coup de main pour aider l'association du Patriarche. Il faut récupérer les jeunes toxicomanes en détresse. C'est pour leur bien.

Une battue avance dans la forêt, avec les chasseurs qui se sont levés pour la recherche. Certains courent, d'autres ont des bâtons. Il y a Fredo, Dédé, Dominique, et quelques autres encore. Ils ne prononcent plus le prénom de Baptiste, non, on parle du « déviant ». Il faut absolument le récupérer. Dans le dortoir, Patrice regarde le lit vide, avec les trois malheureux oreillers, dont le sien qui avait disparu. Soudain Patrice a peur pour Baptiste. Il a peur qu'on le tue.

Le déviant est aperçu sur la route. Il court, tandis que les autres, ses camarades, sont à sa poursuite. Au moment où il pense que c'est trop tard, à ce moment précis, une voiture s'arrête. Un couple d'amoureux venus passer un week-end romantique à Deauville. Ils ont dix-huit ans. Ils ont pris la voiture des parents. Ils rentrent à Paris. Baptiste les arrête, les baratine : il s'est fait voler ses affaires et sa voiture, il doit rentrer à Paris, il leur donnera de l'argent pour les remercier. La portière s'ouvre, Baptiste entre à l'intérieur, la voiture démarre. Baptiste est sauvé, tandis que Fredo et les autres, essoufflés, voient la voiture et le fugitif s'éloigner.

De retour au centre, les chasseurs exposent la situation au sosie d'Howard Marks. Ils n'ont pas pu le rattraper à temps. Mais le visage du chef s'apaise extraordinairement. C'est une excellente nouvelle. Dans trente minutes à peine, ils arriveront au péage. La gendarmerie a donné son signalement. Ils vont le cueillir comme un pissenlit.

Le soleil se lève. Le sosie d'Howard Marks n'a pas dormi de la nuit, mais il faut faire sonner la cloche pour l'appel. Les pensionnaires sont fébriles, ils cherchent Baptiste dans le groupe, mais il n'est pas là. Le chef explique que Baptiste a tenté de rompre avec eux. Parce qu'il est encore faible et qu'il a des complexes. Cette fuite a beaucoup perturbé certains membres de la communauté et Lucien arrive dans quelques heures. Que va-t-il penser de la communauté de Normandie ? Il ne faut pas oublier que le centre doit être guidé par la confiance. Et que certains actes, que l'on pense personnels, ont des répercussions sur le groupe tout entier.

Patrice et son groupe n'écoutent pas le discours sous la cloche. Ils sont déjà sur la route, pour la tournée des supermarchés. Paulo vérifie la liste et les adresses. Il a l'habitude, il connaît bien les directeurs de magasin. Katia est arrivée de la Boère,

avec son camion. Elle retrouve le centre de Deauville, où elle a vécu un mois avant de partir à Toulouse. Patrice est tout de suite impressionné par
Katia : immense, des jambes en ciseaux. Blonde,
les mains larges et dessinées. Katia est la plus belle
fille du centre. On ne croirait pas, à ses gestes fémi-
nins, qu'elle s'occupe des camions. Katia voudrait
se désintoxiquer puis quitter le Patriarche. Pour
s'acheter un camion, rien qu'à elle. Son idée de la
liberté : fumer la fenêtre ouverte, sous le soleil, sur
les routes. Pouvoir dormir dans son camion, aller
où elle veut, quand elle veut.

Katia a les mains qui tremblent sur le volant.
Paulo lui propose de conduire à sa place. Mais elle
répond : c'est ok. Elle ajoute qu'à Toulouse, elle est
devenue amie avec une fille. Marianne. Qui s'était
maquée avec un mec de vingt ans. Un Espagnol, très
beau, qui s'était fait des injections d'héroïne brune
iranienne. L'héroïne s'était collée sur sa rétine et il
est devenu aveugle. Marianne s'en occupait comme
son enfant. Mais ils sont morts tous les deux. Alors
Katia est retournée à Trouville. Pour prendre du
recul. « *Et revoir Gérard ?* » ajoute Paulo en rigolant. Katia lui répond par deux coups de klaxon,
puis sourit. Et son sourire est une des plus belles
choses que Patrice ait vue depuis son arrivée au
Patriarche.

Dès qu'ils arrivent au supermarché, le pêcheur
basque et Patrice suivent Paulo. A l'intérieur du

magasin, Paulo explique à une caissière qu'il a rendez-vous avec le directeur, de la part de Lucien Engelmajer, l'association du Patriarche. La caissière sourit, se lève, les choses se font, fluides, habituelles. Le directeur arrive rapidement, salue Paulo, serre la main des autres, demande des nouvelles de Lucien. Il porte un costume bleu marine, une chemise blanche rayée grise et une cravate bordeaux ornée de petits triangles jaunes. Le directeur les guide à l'arrière du magasin, ils traversent les rayons des pâtes, des céréales, la lumière des néons est jaune et verte et il fait froid. Patrice regarde les gens « de l'extérieur », comme on dit dans le centre, ces gens qui font leurs courses au supermarché. Et cela ne lui semble pas si stupide. Puis, ils passent à travers de grandes bandes de plastique rectangulaires, et traversent un hangar de murs en béton humides, des cartons, des palettes et toutes sortes de choses entassées. Le directeur désigne les cartons qui leur sont réservés. Des cartons entiers de nourritures périmées : essentiellement des yaourts et du fromage râpé. Des centaines de yaourts.

Pendant ce temps-là, Baptiste est ramené du commissariat au centre. Dans la maison du sevrage, il se fait casser la gueule, par Jean-Philippe et le sosie d'Howard Marks. Passage à tabac. On lui dit qu'il a eu un coup de « flip », un « flash-back » de la défonce, et que, par conséquent, il n'est pas responsable de ce qu'il dit... Il est un « déviant », qui va devoir affronter tout le groupe, pour expliquer les raisons de son départ. Baptiste sait que chacun de ses arguments sera repris et présenté comme une insulte contre la communauté. Contre la grande œuvre de générosité de ce bon Lucien Engelmajer.

L'effervescence règne sur le centre du Patriarche. C'est bientôt l'heure du déjeuner et pourtant la cantine est presque vide. Chacun est occupé à ses préparatifs, il faut tout finir avant l'arrivée de Lucien. Patrice, Katia, Paulo et le pêcheur basque n'ont pas le temps de manger, eux non plus. Ils sont en route pour Le Havre, où ils doivent arriver pour la fin du marché. Il faut faire vite parce qu'ils ne sont pas les seuls glaneurs. Se dépêcher pour ramasser, avec leurs cagettes, tout ce qui traîne par terre. Tous les fruits et les légumes dont personne n'a voulu. Les tomates écrasées, les pommes pourries, les courgettes gâtées. De retour au centre, ils déballeront les cagettes, aidés par d'autres pensionnaires. Tout sera entreposé dans les cuisines, sur les grandes tables, pour la sélection des légumes. Tri entre les invendus qui ont un aspect correct et qui vont aller en cuisine, et les invendus écrasés qui vont servir pour les compotes et les confitures. Entre les deux, ça va pour les soupes. Toute la nourriture du centre – sauf celle des cadres – est confectionnée à partir d'aliments pourris, périmés, récupérés, jetés. C'est pour ça que la plupart du temps, les pensionnaires sont malades. C'est pour ça que de temps en temps, les ratatouilles sont sublimes.

A quelques mètres d'eux, dans la maison du sevrage, Baptiste Morandi, l'ancien chef de rang de la Tour d'Argent, ouvre les yeux. La vérité, est qu'il a voulu s'enfuir à cause des animaux. On l'avait envoyé en Belgique, emmener des moutons, dans un centre du Patriarche situé à l'intérieur d'une ancienne brasserie. Là-bas, rien ne tourne comme il faut. Le climat est difficile, les pensionnaires vivent dans la bouillasse. Ils ont voulu installer une sorte de ferme, avec des animaux, mais sans vétérinaire ni agriculteur, les bêtes sont mortes les unes après les autres. Tout a pourri sur pied. Il y a des maladies dans le centre, Baptiste pense avoir attrapé le sida en marchant dans la boue, à côté des cadavres de moutons. La puanteur. Il n'a pas supporté. C'est pour ça qu'il a voulu s'enfuir. Pour qu'on puisse le soigner, dans un vrai hôpital. Et le voilà brisé par les coups, dans la chambre de sevrage. Il ne peut pas regarder son visage tuméfié dans la glace, parce qu'elle est recouverte d'un scotch noir. Alors il se dirige vers la salle de bain, pour trouver un autre miroir. De ses mains, il touche sa bouche, ses yeux, ses joues gonflées. Quelqu'un a laissé un rasoir sur la tablette du lavabo, il l'attrape et s'ouvre les avant-bras. Puis une autre blessure plus profonde, au creux du coude, à l'endroit où il se fixait. Baptiste sait qu'on emmène les suicidés à l'hôpital, au Havre. C'est sa dernière chance de sortir de là.

Soudain la cloche sonne. Tout le monde s'arrête. Pose ce qu'il a entre les mains, s'essuie les doigts sur des torchons. Parce qu'au loin, arrive une Mercedes quatre portes blanche. Elle s'avance doucement, depuis la route, sur les graviers. Affairé dans les cuisines au triage des légumes, Patrice n'avait pas remarqué la foule qui s'est agglutinée devant le manoir des Creuniers. Il y a des enfants, aux cheveux longs, habillés de pulls tricotés à la main. Ils portent une banderole, aux couleurs du Patriarche. Lorsque la voiture s'arrête, se sont des exclamations de joie et des cris. Parmi la foule, sur les escaliers du perron, Patrice reconnaît Matilda, qui tient Denise et Klein dans chacune de ses mains. Elle lui a fait la surprise, elle cherche Patrice des yeux. Quand elle l'aperçoit, elle lui fait un grand signe des mains et se penche vers les enfants, pour leur montrer leur papa, au loin, un tablier de cuisine noué autour de la taille.

Le chauffeur descend, pour ouvrir la portière de Lucien. Ce qu'on remarque en premier, c'est la longue barbe blanche de Lucien. Ses cheveux longs, blancs et gris, se soulèvent avec le vent et laissent apparaître son front large. Il est grand, porte une longue cape noire, noire comme ses yeux et ses sourcils. Une apparition féerique. Personnage de contes pour enfant. Des petites filles courent vers lui, des couronnes de fleurs blanches entre les mains. Lucien les prend dans ses bras pour les soulever de terre, comme un géant. Il se met à rire, offrant son visage à la foule qui l'applaudit. Et Patrice regarde Matilda applaudir avec tous les autres. Tous les autres sauf

Gérard, en retrait, plus loin, fumant ses Rothmans rouges.

La foule se dirige à l'intérieur du manoir. Tout le monde interpelle Lucien, dans une rumeur joyeuse et vivante. La salle de réunion au premier étage regorge de gâteaux à plusieurs niveaux, confectionnés par Dédé et les autres. Les murs sont ornés de fleurs du jardin, et la grande table est décorée avec des coquillages ramassés sur la plage par le groupe « Environnement ». Les gens se pressent dans les escaliers, Lucien à leur tête, qui grimpe, de son allure majestueuse. En le regardant, Patrice pense au marquis de Sade et au Père Noël. Matilda se fraye un chemin pour retrouver Patrice. Cela fait presque six semaines qu'elle ne l'a pas vu. Elle le trouve changé, encore plus beau qu'avant si c'est possible. Elle le prend dans ses bras et l'embrasse. Et les enfants poussent des cris de joie en entourant ses jambes de leurs petits bras.

Matilda est arrivée ce matin au Patriarche. Pour lui faire la surprise. Elle a fait la visite des lieux avec les enfants et d'autres familles. Il y avait un air de fête partout où ils allaient, Matilda trouve cet endroit merveilleux. Elle voudrait parler avec Patrice, mais ce n'est pas le moment. Tout le monde se tait, sauf quelques enfants que l'on entend jouer et que l'on ne parvient pas à faire taire. Lucien va parler. Il a enlevé sa cape noire, découvrant son immense torse, recouvert d'un poncho en laine.

« ... Notre enfance était dure, mais nous la partagions. Nous vivions en communauté, nous étions tous frères et sœurs en construisant nos cabanes, en cueillant des fruits mûrs, dans tous nos jeux d'enfants. J'ai commencé à gagner ma vie en traînant des chariots remplis de petites culottes et de soutiensgorge. Ils pesaient presque deux cents kilos, qu'adolescents, nous poussions entre la gare et le hangar du grossiste en sous-vêtements !... »

La foule rit en écoutant le Patriarche. Mais Patrice est contrarié. De voir Matilda dans le centre, avec les enfants, avec les autres familles. Il voudrait qu'ils s'en aillent. Il n'a pas envie que Matilda soit heureuse, en écoutant Lucien parler de son enfance, sa jeunesse. Il aimerait aller voir Gérard, qui est resté dehors, fumer des clopes avec Katia. Et soudain Patrice a peur. Peur qu'ils se mettent en couple, qu'ils prennent une chambre ensemble, à part, abandonnant Patrice. Et ça, il n'arrive pas à l'imaginer. Comment survivre ici, sans l'aide de Gérard ? De là où il se trouve, Patrice ne peut pas voir les yeux embués de Katia lorsqu'elle parle à Gérard. Katia pleure, parce que Lucien l'a fait venir à Trouville pour l'isoler. Elle ne veut pas écouter son discours. Elle ne veut plus entendre sa voix.

« ... Je suis allé rejoindre ma famille, qui vivait cachée vers le Moulin du pont, dans une ferme, se nourrissant de pêche et de cueillette. Je revois mes frères et sœurs, vaillants, heureux, vivant comme des êtres des bois, dans un monde autonome et harmonieux. J'ai la même impression, aujourd'hui, lorsque je regarde les enfants du Patriarche. Et je me demande si mon père serait fier de ce que nous avons accompli... »

Deux jours auparavant, explique Katia, Lucien l'a désignée pour monter sa tisane dans sa chambre. Et s'occuper de sa cataracte. Lucien a trouvé un système pour soulager ses yeux : les recouvrir de deux bols, préalablement enduits d'une huile secrète. Mais il faut que quelqu'un lui tienne les bols, pendant une heure ou deux ; généralement, ce sont des petites, mais Lucien a fait une fixation sur Katia. Pourtant, elle avait tout fait pour ne jamais se faire remarquer, ne pas le croiser, pour que son regard ne se pose pas sur elle ; les autres l'avaient prévenue, comment faire, quand on est une jolie fille, pour éviter les avances de Lucien. Mais il a fini par s'intéresser à elle. Et malgré son prochain mariage avec Amparo, ça ne l'empêche pas d'aller voir ailleurs. Surtout quand il se balade dans les autres centres. C'est pour ça qu'il l'a envoyee ici, avec le camion. Pour se retrouver à Deauville seul avec elle. Loin d'Amparo.

Au moment de repartir, il lui a demandé de bien vouloir l'aider à tenir les bols sur ses yeux, pour le soulager de la douleur. Il a commencé à la questionner, pour savoir si c'était vrai, qu'à Deauville, elle avait eu une histoire avec Gérard Rambert. Alors

Katia a menti, elle a répondu que c'était faux, qu'elle était lesbienne. Elle a dit ça pour qu'il lui fiche la paix. Mais ça a eu l'air de l'exciter. Lucien lui a expliqué qu'il était professeur de sexologie à l'université de Toulouse, et qu'une de ses spécialités était justement d'aider les homosexuelles à guérir. A ce moment-là, il a commencé à lui caresser les cuisses avec sa main. Katia, tout en tenant les bols sur ses yeux, lui a dit que cela ne lui plaisait pas, qu'elle avait peur des hommes. Ne voulait pas coucher avec eux. Elle disait que ce n'était pas contre lui, contre Lucien, mais qu'elle ne pouvait pas. Et plus elle disait cela, plus Lucien était fébrile. Il lui a demandé de se déshabiller. Il lui disait de lui faire confiance, qu'en l'aidant à se réconcilier avec le sexe de l'homme, elle pourrait se réconcilier avec elle-même. Peut-être même qu'après lui avoir fait découvrir l'orgasme vaginal, elle serait définitivement guérie de sa toxicomanie et n'aurait plus jamais envie de se shooter. Alors, ses deux bols sur les yeux, il a commencé à déboutonner son pantalon. Comme il ne portait pas de slip, elle a vu le début de son sexe turgescent. Katia s'est dirigée vers la porte. Mais Lucien s'est levé d'un bond et les deux bols sont tombés à terre, sans se casser. Ils roulaient sur le sol jusque sous le lit. Lucien s'est mis en travers de la porte, pour l'empêcher de sortir, lui disant que si elle ne se laissait pas embrasser, il la mettrait dehors, hors du centre, qu'elle ne conduirait jamais plus de camion. Au bout d'une semaine à l'extérieur, elle recommencerait à se fixer, c'était sûr. Et dans un mois on la retrouverait morte, une aiguille dans le bras. Alors Katia s'est mise à pleurer, parce qu'elle savait que Lucien avait raison. Et pendant qu'elle pleurait, il a mis la main dans sa culotte, après avoir craché dedans et l'a violée avec ses doigts.

« ... Quand la guerre a éclaté, je fus volontaire. Je voulais combattre l'horreur, empêcher l'injustice de vaincre. Je savais qu'il y aurait aussi des injustices de faites, chez ceux pour qui je choisissais de me battre. J'en avais conscience. Je ne fus donc pas surpris.

En 1940 je fus le seul survivant de ma compagnie. On m'avait laissé pour mort. Trouvé agonisant, j'ai rejoint la file des prisonniers de guerre, passant dans plusieurs camps, encore plus maltraité que les autres et tentant de m'échapper à chaque fois. Dans un camp spécial de prisonniers récidivistes, je fus mis en cellule. Un jour, alors que le gardien passait me voir, je me suis mis à chanter la *Tosca*. Il a pensé que je délirais, alors il a crié "Raus, Raus !" pour me jeter dehors, dans la neige et le froid – il faisait un soleil éblouissant, je me suis déshabillé malgré la température à moins vingt, pour me frotter le corps avec la neige. C'est comme ça qu'on faisait des génocides de puces. Mais je me suis évanoui. Arrivé à la frontière française, je me suis engagé dans la résistance, du côté de la Savoie. Il me fallait un nom de guerre, j'ai choisi celui de "Lucien de Valencourt". Le prénom de Lucien m'est resté, et c'est ainsi qu'on m'appelle aujourd'hui. »

Dans la salle de réunion, où les pensionnaires écoutent le récit de l'enfance de Lucien, un petit garçon se met à crier et se jette sur un autre enfant. Tout le monde est gêné, qu'on puisse perturber le discours de Lucien. Béatrice ouvre la porte et demande aux enfants de la suivre. Elle va les emmener jouer dans le grenier pour regarder les nids d'hirondelles. Le groupe des enfants se faufile et Klein les voit disparaître. Il lâche la main de sa mère, pour les rejoindre. Suivi à son tour par sa petite sœur, Denise, qui se colle à lui comme un petit animal domestique.

« … Après la guerre, je me suis occupé des adolescents orphelins. Sans attache. Sans famille. Parents morts, déportés, fusillés, tombés au combat. Je suis embauché par la "Commission de l'Enfance", chargée de retrouver ces enfants cachés, perdus, aux quatre coins de la France. Dans mes déplacements, je fais attention à toutes les dépenses, chaque centime compte. Mais à la direction, lorsque j'arrive avec mes maigres notes de frais, on me reprend. Ma mission est de haute importance, je dois donc mener le train qui va avec : descendre dans de grands hôtels, me nourrir dans de bons restaurants, voyager en première classe. Voilà à quoi passaient les aides. Quelques enfants ont été retrouvés et renvoyés à leurs parents. Quelques-uns seulement. Si bien que je change de voie et deviens chef de la récupération. Nous accédons aux restes du régiment soviétique, c'est-à-dire que nous disposons de kilos et de kilos de viande, à une époque où le pays entier est rationné...»

Matilda, libérée de ses enfants, prend la main de Patrice, chaude, douce, pour écouter les paroles de Lucien. Elle ne voit pas que les enfants sont sortis de la salle de réunion. Denise et Klein montent les escaliers. Ils suivent les enfants, qui semblent connaître les lieux. C'est comme dans le grand château de la Belle au bois dormant. Les autres enfants sont plus grands, ils vont vite. Klein peine à les suivre. Et Denise, la toute petite fille, peine à suivre Klein.

«... Aujourd'hui j'arrive de Toulouse, où il se passe des choses terribles avec les institutions, qui s'en prennent à moi et à notre mission. Lorsque la DDASS a annoncé qu'elle réduisait ses subventions, nos pensionnaires se sont mobilisés, menaçant même d'un suicide collectif si on entravait l'action de Lucien. Maximilien, que certains d'entre vous connaissent, oui, le petit Max, a même crié qu'il s'immolerait par le feu si les représentants des pouvoirs publics continuaient leurs enquêtes de petits flics, chapeautées par la Cour des cons. Enfin, je veux dire, la Cour des comptes ! Ces fonctionnaires, qui ont peur de vous, qu'ils appellent des "malades", oui, qui ont peur de vous, sont des hypocrites. Qui, à part moi, parvient dans ce pays à trouver des solutions pour les enfants que la société malmène ? Le monde extérieur tremble devant ceux qui n'ont pas su s'accommoder de son dysfonctionnement... »

Denise et Klein ont poussé la porte qui chancelle, parce que les autres enfants ont disparu. Ils ne les trouvent plus. Derrière la porte, il y a un monsieur habillé de noir, assis dans un fauteuil, devant une grosse machine qui crépite. Depuis qu'ils sont arrivés dans le château, tous les gens sont gentils avec eux. Ils se sont amusés dans l'herbe avec les trèfles. Ils ont fait des cabanes dans le grenier. Ils ont visité les animaux, ils ont appris que les cochons sont des animaux qui aiment la propreté. Ils ont même caressé Banane et Kiwi, deux petits lapins albinos. Ils ont mangé des bonbons et des gâteaux. Ils sont heureux et excités.

« ... Ceux-là qui vous traitent comme des fous malades, à coups d'électrochocs dans des hôpitaux psychiatriques. Ceux-là qui pensent que vous n'aurez plus jamais droit à une place dans la société. Qui vous fait confiance comme moi, je vous donne ma confiance ? Certains, jaloux, méfiants, tentent de me déstabiliser. Mais il suffit que je leur propose de fermer les centres, pour que tous ces politiciens s'écrasent, apeurés de vous voir débarquer sur les voies publiques de leurs villes propres. Ils n'acceptent pas que je réussisse là où tant d'autres ont échoué. Ils ne peuvent pas reconnaître que nous vivions harmonieusement dans un cadre de vie autre que la communauté classique où les relations sont constituées généralement par la petite défonce et les rapports sexuels dits libérés... »

En apercevant les enfants, le monsieur habillé en noir se lève. Il leur dit d'entrer, il fait chaud à l'intérieur, il va leur montrer la machine du Télex. Mais cela n'intéresse pas Klein, qui veut voir les nids d'hirondelles, dans le grenier. Alors le monsieur habillé en noir propose à Klein de lui montrer le chemin en prenant les deux petits par la main.

« ... Nos centres reçoivent de plus en plus de demandes de prise en charge, de la part de cliniques traditionnelles qui reconnaissent les limites de leurs possibilités thérapeutiques. Tous les médecins qui visitent les centres du Patriarche se rendent compte du fossé qui existe entre leurs connaissances et nos pratiques quotidiennes. Ces médecins, impuissants dans leurs propres cliniques, malheureux de subir tant d'échecs dans leurs propres hôpitaux, me soutiennent. C'est pourquoi nous allons approfondir la recherche dans le domaine du sida. Nous avons découvert que plus de la moitié des patients de la Boère sont VIH positifs. Nous allons lancer les protocoles de dépistage dans tous les autres centres, dont Trouville, d'ici le mois prochain. Pour cela, nous collaborons et finançons la recherche du pro-

fesseur Mirko Beljanski, qui fut membre de l'Ins
titut Pasteur, actuellement directeur de recherche
et professeur à la faculté de pharmacie. Le professeur Beljanski a découvert un médicament pouvant
guérir du sida. Grâce à vous, membres de l'Association, grâce à vos participations aux tests dirigés
par le professeur, grâce au Patriarche et à moi-
même, nous allons pouvoir éradiquer une des plus
grandes épidémies du XX$^e$ siècle, qui menace l'humanité tout entière... »

En bas des escaliers qui mènent au grenier, on
entend la clameur des enfants. Ils jouent avec Béatrice à la chandelle. L'escalier est raide, il faut être
grand comme Klein pour réussir à le grimper. En
posant les mains sur la marche supérieure et en
se hissant. Excité par le tumulte des cris d'amu-
sement, Klein escalade à toute allure, comme un
petit singe. Denise est trop petite pour monter les
marches comme Klein. Elle devient toute rouge et
se met à pleurer. Alors l'homme la prend dans ses
bras pour la consoler.

« ... Grâce au professeur Jean-Paul Séguéla,
député et membre du conseil national du RPR,
spécialiste de parasitologie, et doyen de la faculté
de médecine. Nous allons ouvrir de nouveaux
espaces de santé pour les séropositifs. Pour cela,
nous avons créé deux associations pour les malades.
L'ADDEPOS – Association des droits et devoirs
des positifs et porteurs du virus du sida – et pour

les chercheurs et soignants, l'IDRET – Institut de documentation et de recherche européenne pour la toxicomanie... »

Denise pleure de plus en plus fort, vexée de ne pas pouvoir monter les escaliers pour rejoindre son frère. Et rien n'y fait, ni les bras de l'homme habillé en noir, ni ses balancements, ni le doigt qu'il met dans sa bouche. Denise est fâchée, elle aussi elle voulait aller jouer à la chandelle avec les enfants.

«... Mon mariage, que nous célébrerons au mois de juillet, sera l'occasion d'une grande fête contre la toxicomanie. Tous les membres de l'Association, de France et d'Espagne, seront réunis à Nice pendant un week-end, grâce à l'aide de mon ami le maire de Nice et député des Alpes-Maritimes. A cette occasion, la ville sera mobilisée, et la célèbre promenade des Anglais deviendra le décor d'une joyeuse parade, avec des chars fleuris et un défilé de voitures anciennes. Tous les pensionnaires mettront leurs talents en avant, avec des spectacles, des expositions d'art, des stands de vente d'artisanat. Un grand chapiteau sera monté pour accueillir un grand bal de l'amour, où tous et toutes pourront danser ensemble... »

Denise est dans un grand lit, avec l'homme qui lui parle tout doucement. Il s'est allongé à côté d'elle et il lui caresse le bras pour la calmer. Avec sa main, de haut en bas. Denise s'est tue. Elle le regarde avec ses grands yeux. Et elle a très envie de dormir.

Soudain Matilda est inquiète. Elle se demande où sont passés les enfants, elle voudrait simplement les voir, savoir où ils sont. Mais elle n'ose pas bouger, ce serait si inconvenant de sortir de la pièce pendant que Lucien parle. Elle ne peut pas faire ça. Les minutes sont longues et le discours de Lucien interminable. C'est au tour du sosie d'Howard Marks, à présent, de s'adresser au groupe. Il est chargé d'annoncer que de très hauts personnages ont proposé à Lucien de le soutenir pour le prix Nobel de la paix.

Matilda en profite pour se faufiler discrètement entre les gens et rejoindre la porte de sortie. Elle descend dans la cour, voir si les enfants sont allés jouer dehors. Mais il n'y a personne. Silence. Son cœur se met à battre, violemment. Elle remonte à l'intérieur du manoir, ouvre toutes les portes, tous les bureaux, toutes les chambres. Tout est vide. Au bout du couloir, devant les escaliers qui montent au grenier, sa gorge se desserre. Elle les entend. Les enfants sont là-haut, si près. Elle grimpe les marches quatre à quatre, c'est raide, manque de tomber. D'abord, elle perçoit une flopée d'enfants, ils sont tous là, oui, il y a Klein qui joue avec des filles plus grandes que lui. Les yeux de Matilda se posent sur toutes les têtes, dans tous les coins. Mais elle ne voit pas

Denise. Denise n'est pas avec eux. Affolée, elle crie sur Klein, qui ne sait pas où est sa petite sœur. Matilda se met à pleurer, sa fille a disparu, elle n'a pas même cinq ans. Béatrice lui dit de se calmer parce qu'elle fait peur aux enfants. Mais lorsque Klein parle d'un monsieur qui a pris sa sœur pour la consoler, Béatrice se tait. Elle change de visage. Elle a compris. Sans se précipiter, pour ne pas lui faire peur, elle demande à Matilda de garder les enfants.

Béatrice frappe à la porte du bureau de Jean-Philippe, qui est fermée à clef. Mais personne ne répond. « *Jean-Philippe, tu es là ?* » demande-t-elle. Béatrice reste quelques secondes à réfléchir, devant la porte. Elle se dit non, ce n'est pas possible, mon Dieu, pas aujourd'hui.

Béatrice est cadre, mais Jean-Philippe est un chef, alors il est difficile d'aborder le problème avec lui. Et puis il a une idée sur la question, la liberté sexuelle des enfants, l'initiation au plaisir, lutter contre des siècles de culpabilité chrétienne. C'est un jeu comme un autre, car le jeu est fait pour structurer l'architecture mentale de l'enfant. La sexualité doit en faire partie.

Béatrice court vers la maison du sevrage. A chaque fois que c'est arrivé, Jean-Philippe les emmenait là-bas. En même temps qu'elle court, elle réfléchit à ce qu'elle va lui dire. Trouver un mensonge, pour ne pas avoir l'air de le suspecter.

313

Pour ne pas le mettre mal à l'aise. Pour ne pas que ça lui retombe dessus, il aurait vite fait de l'envoyer dans un centre en Belgique, ou au fin fond de l'Espagne.

Béatrice déteste entrer dans cette maison. Rien que l'odeur de l'humidité dans le bois, lorsqu'elle ouvre la porte, lui donne envie de vomir. Elle se souvient de la souffrance, insoutenable. Quand elle passe devant, elle détourne le regard, pour ne pas se souvenir.

Béatrice reste à l'entrée de la maisonnette. Il ne faut pas qu'elle surprenne Jean-Philippe. Le mieux même, serait qu'elle ne voie pas la petite fille. Comme si de rien n'était. Elle crie : « Jean-Philippe ! Tout le monde te cherche ! » Béatrice perçoit une sorte de bruit, puis le silence. Il est là, c'est sûr. Mais il faut qu'elle trouve autre chose, de plus alléchant, pour le faire sortir de sa tanière. « Lucien a terminé son discours ! Marcelle m'a dit qu'il te cherchait, elle m'a envoyée te chercher ! Lucien veut te parler, maintenant. Il ne comprend pas pourquoi tu n'as pas écouté le discours ! »

Alors Jean-Philippe apparaît derrière la porte, les pommettes rouges, les yeux brillants. Hagard, dans un état d'affolement hébété. Il se dépêche de rentrer au manoir, et Béatrice fait semblant de le suivre, de quitter la maison du sevrage ; il court devant elle, comme un gros bœuf fatigué, soufflant sur son ventre qui rebondit à chaque pas. Au loin, elle aperçoit Matilda, son fils dans les bras, sortant du manoir, marchant vers Béatrice, la respiration courte, bouche ouverte, croisant Jean-Philippe qui court dans l'autre sens, mais sans faire attention à lui sur le moment. Elle y repensera plus tard, quand elle comprendra.

Dès que Baptiste est hors de vue, Béatrice fait demi-tour, entre dans la maison, de nouveau, l'odeur humide, cette odeur qui la suivra toute sa vie. Elle se dirige vers la chambre des nouveaux arrivants, la couverture du lit est défaite, sous les coussins, quelque chose se met à bouger. Comme un petit chat sous les draps. Béatrice les soulève, elle voit la petite fille, ses cheveux sont fins et bouclés. Elle a deux grands yeux noirs qui regardent sans rien dire et une bouche arrondie dont le contour est rougi. Béatrice prend l'enfant débraillée dans ses bras et sort de la maison. Elle fait de grands signes à la mère, pour qu'elle cesse sa course folle, puis elle se masque d'un sourire, pour ne pas éveiller les soupçons. Mais Matilda voit son visage, repense à l'homme qui courait sur le gravier. Et quelque chose en elle, quelque chose comprend. Au loin, Béatrice pose Denise au sol, elle la tient fermement et serre ses mains fort autour des bras, la fixe dans les yeux en lui murmurant :

*« Il ne s'est rien passé. Tu ne vas rien dire à tes parents. Tu as tout oublié. »*

A côté d'elles, dans la Peugeot 604 bleu marine qui appartient au centre, Kissou repasse en boucle la cassette de la chanson qui la fait tant rire :

*« Petite chatte un jour sera grande,*
*Ne voudra plus jouer à la marchande,*
*Reste avec moi en attendant,*
*Je te montrerai mon cata très marrant.*

*Bébé chatte je te connais,*
*Comme si je t'avais fait,*
*Bébé chatte je te connais,*
*Car c'est moi qui t'ai fait. »*

Merci à Gérard Rambert, qui a prêté son nom à ce personnage de fiction.

DU MÊME AUTEUR

LA FILLE DE SON PÈRE, Seuil, 2010 ; Points, 2011.

Cet ouvrage a été imprimé en France
par CPI Bussière
à Saint-Amand-Montrond (Cher)
en juillet 2012

*Composé par Nord Compo Multimédia*
*7, rue de Fives, 59650 Villeneuve-d'Ascq*

*Grasset* s'engage pour
l'environnement en réduisant
l'empreinte carbone de ses livres.
Celle de cet exemplaire est de :
800 g éq. $CO_2$
PAPIER À BASE DE    Rendez-vous sur
FIBRES CERTIFIÉES  www.grasset-durable.fr

N° d'Édition : 17284. — N° d'Impression : 122301/4.
Dépôt légal : août 2012.